A VIE DE L'ÉTANG

**Guide des pl... ...ns
aux lacs et ...d**

D0716788

G...

sous la direction de
Herbert S. Zim

et de
George S. Fichter

Illustrations de
Sally D. Kaicher
et de
Tom Dolan

EDITIONS

marcel  broquet

C.P. 310, La Prairie, Qué. J5R 3Y3
(514) 659-4819

AVANT-PROPOS

Un étang ou un lac offre la possibilité de faire des découvertes passionnantes. On peut s'y familiariser avec plusieurs espèces de plantes et d'animaux et apprendre comment ils vivent en communauté. On trouvera décrites et illustrées dans ce guide les plus communes des espèces de plantes et d'animaux qui vivent dans ces eaux ou à proximité. Certaines se plaisent davantage dans les lacs clairs et frais que dans les étangs peu profonds et chauds. Certaines se rencontrent dans les cours d'eau et dans les eaux tranquilles ou croissent dans les terres humides environnantes.

Beaucoup de gens ont collaboré à ce guide. Les illustrateurs, Mme Sally Kaicher et M. Tom Dolan, ont établi des croquis précis, à partir des photographies fournies par les professeurs Murray F. Buell, de l'Université Rutgers, et Robert W. Pennak, de l'Université du Colorado. L'Université du Sud de la Floride nous a gracieusement ouvert les portes de sa bibliothèque. Nous remercions aussi les collègues, les spécialistes et les organismes qui nous ont prêté des spécimens ou vérifié la précision et l'utilité du texte.

G.K.R.

Copyright Ottawa 1984 — ISBN 2-89000-099-0
Éditions Marcel Broquet Inc.
Dépôt légal — Bibliothèque nationale du Québec
1er trimestre 1984

TABLE DES MATIÈRES

LES ÉTANGS ET LES LACS 4

LES PROPRIÉTÉS DE L'EAU 10

LES HABITATS 17

LES CHAÎNES ALIMENTAIRES 22

ÉVOLUTION DES ÉTANGS ET DES LACS 24

L'OBSERVATION ET LA RÉCOLTE 27

LES PLANTES 30
- algues 31
- bactéries 38
- champignons 38
- bryophytes 39
- plantes vasculaires 42

LES ANIMAUX 74
- protozoaires 76
- spongiaires 77
- cœlentérés 78
- méduses 79
- rotifères 80
- bryozoaires 81
- vers 82
- pathelminthes 84
- arthropodes 85
  - crustacés 86
  - insectes 94
  - hydracariens et arachnides 113
- mollusques 114
  - gastéropodes 114
  - lamellibranches 116
- autres invertébrés 118
- vertébrés 120
  - lamproies 120
  - poissons à squelette osseux 121
  - amphibiens 129
  - reptiles 136
  - oiseaux 143
  - mammifères 152

INDEX 155

printemps   été

LES ÉTANGS ET LES LACS

Au printemps et en été, l'activité est incessante dans un
étang ou un petit lac. Les araignées d'eau se déplacent sur
la surface. Les larves de libellules qui se changeront bientôt en adultes grimpent sur les tiges des quenouilles. Près
de la berge, une écrevisse attrape un ver et le mange — par
la suite, un achigan dévorera l'écrevisse. Une tortue plonge
d'un billot et se met à brouter les plantes. D'innombrables
petits copépodes à l'aspect de crevettes se nourrissent de
plantes microscopiques en suspension dans l'eau, puis
sont à leur tour mangés par de petits poissons qui seront la
proie des gros poissons ou des oiseaux échassiers. En
automne, à mesure que l'eau fraîchit, les animaux deviennent moins actifs. En hiver, l'étang ou le lac est plutôt
calme et dans le Nord, seuls quelques animaux remuent
encore sous la glace.

automne   hiver

Pour comprendre la vie grouillante d'un étang, il faut connaître les conditions nécessaires à son développement. Cette étude des eaux intérieures — étangs, lacs et cours d'eau — s'appelle la limnologie. Elle est une ramification de la science plus vaste de l'écologie, laquelle traite des façons dont les plantes et les animaux vivent ensemble dans des environnements particuliers. La limnologie traite de tous les facteurs intimement reliés qui influencent l'environnement des eaux intérieures. Ainsi, elle ne touche pas seulement à la biologie, mais aussi à la chimie, la géographie, la météo, le climat et autres facteurs ou conditions semblables. Seules quelques-unes des milliers d'espèces de plantes et d'animaux sont décrites et illustrées dans ce guide. Si votre intérêt dans l'exploration des étangs vient à s'accroître, vous pouvez toujours consulter la liste d'ouvrages plus exhaustifs à la page 155.

ÉTANG. Généralement décrit par les limnologistes comme une étendue d'eau si peu profonde que les plantes enracinées au fond la traverse complètement. La température de l'eau y est assez uniforme de la surface jusqu'au fond et tend à changer selon la température de l'air. L'action des vagues est minime et le fond généralement recouvert de boue. Ordinairement, des plantes croissent tout le long de la berge. La quantité d'oxygène dissoute peut varier grandement au cours d'une période de 24 heures.

Un lac est habituellement plus grand qu'un étang. L'eau est trop profonde pour que les plantes y croissent, sauf autour de la berge. La température de l'eau est relativement stable d'une journée à l'autre, mais dans les lacs du nord, il

se produit en été une « stratification thermique » (p.15). La quantité d'oxygène dissoute y demeure à peu près la même au cours d'une période de 24 heures. À cause de la vaste étendue d'eau exposée aux vents, les berges qui y sont soumises sont communément des grèves arides de sable ou de roches balayées par les vagues.

L'idée particulière que les gens se font d'un étang ou d'un lac diffère d'une région à l'autre. En certains endroits, par exemple, l'étang illustré (p. 6) serait appelé une mare. Plusieurs des vastes lacs de Floride sont peu profonds et, bien que dépourvus de plantes au milieu, la température de l'eau et la quantité d'oxygène dissous y suivent les mêmes variations que dans les étangs.

ON APPELLE « ÉTANGS » plusieurs espèces différentes de pièces d'eau. Le bassin de certains étangs est une marmite dans la moraine de glaciers qui s'est remplie par l'infiltration et le ruissellement des eaux des terres environnantes. D'autres étangs sont des bras morts du lit d'un cours d'eau. Certains sont temporaires, d'autres permanents. Même s'ils sont d'origines et d'âges différents, ils sont tous à peu près semblables quant à la taille, la profondeur et autres traits du genre. Les illustrations représentent quelques-uns des types d'étangs les plus communs et les plus particuliers.

ÉTANGS À CYPRÈS. Communs dans les parties centrale et inférieure du bassin de drainage du Mississipi et le long de la plaine côtière du sud-est des É.-U. Leur eau est souvent brunâtre et plusieurs s'assèchent au cours de certaines parties de l'année. Le long de la berge, saules et lauriers se mêlent aux cyprès, lesquels poussent souvent dans l'eau.   (ci-dessus)

ÉTANGS MARÉCAGEUX. Se trouvent en région humide tempérée dans presque toute l'Amérique du Nord. Leur eau est habituellement très acide et souvent boueuse. Les cèdres dominent le sol surélevé et les aulnes poussent à profusion le long de la berge. D'épais lits de sphaignes s'étendent au large à partir du bord. Des plantes à feuilles flottantes peuvent en recouvrir la surface.
(ci-dessous)

ÉTANGS DANS LES COURS D'EAU DE PRAIRIE. Se forment là où un cours d'eau s'élargit, ce qui fait diminuer abruptement la vitesse de son courant. Le potamot, les charophycées, les typhas et d'autres plantes à feuilles émergentes poussent en eau peu profonde. Les nénuphars, les brasénies et autres étalent à la surface leurs feuilles flottantes. (ci-dessus)

ÉTANGS DE MONTAGNE. Ont souvent été formés par les glaciers. Chez certains, le fond est de roc pur ; chez d'autres, profonds, de boue molle. Plusieurs ne sont libres de glace que durant peu de temps et s'assèchent en été. Les laîches poussent le long de leur berge. Malgré le court été, plusieurs espèces d'animaux vivent dans ces eaux glaciales.

ÉTANGS DE FERME (artificiels). Font partie intégrante d'une bonne pratique de l'agriculture. On peut aussi y pêcher et naviguer. Un étang de ferme devrait avoir au moins un mètre de profondeur à la ligne de côte, pour empêcher la croissance des plantes, en plus d'être muni d'un déversoir pour contrôler le niveau. Il doit s'alimenter par infiltration et non par un cours d'eau qui aura tôt fait de le remplir de vase.

LES PROPRIÉTÉS DE L'EAU

L'eau peut dissoudre davantage de substances que tout autre liquide et pour cette raison, on l'appelle le « solvant universel ». Elle absorbe de l'atmosphère : oxygène, bioxyde de carbone (gaz carbonique) et azote. L'oxygène provient aussi de la photosynthèse (p. 30) et le bioxyde de carbone est émis par la respiration tant des plantes que des animaux (p. 12). Les phosphates, les chlorures et sels minéraux semblables sont dissous dans l'eau de ruissellement et d'infiltration.

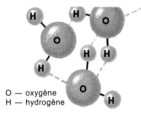

O — oxygène
H — hydrogène

Les lignes pointillées montrent les liens entre les atomes d'hydrogène des molécules d'eau.

MOLÉCULES D'EAU. S'attirent fortement les unes les autres grâce à leurs deux atomes d'hydrogène. À la surface, cette attraction produit une pellicule serrée sur l'eau. Un certain nombre d'organismes vivent à la fois au-dessus et en dessous de cette pellicule (p. 17).

DENSITÉ DE L'EAU. Est au maximum à 4°C. Elle devient moindre à mesure que l'eau se réchauffe ou se refroidit jusqu'à geler (0°C). Elle se change alors en glace qui flotte, car sa densité n'est que de 0,917. La glace est aussi un piètre conducteur et réduit ainsi la perte de chaleur d'en dessous. Seuls les étangs très peu profonds gèlent de part en part.

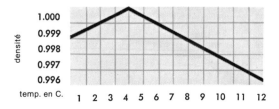

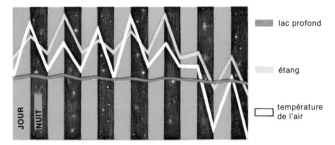

lac profond

étang

température
de l'air

RÉTENTION DE LA CHALEUR. La capacité de l'eau est
grande. L'eau absorbe et émet la chaleur beaucoup plus
lentement que l'air. Pour cette raison, les plantes et les animaux de la plupart des étangs et lacs ne sont habituellement pas soumis à des changements brusques de température. Bien que la température de l'air puisse changer rapidement et grandement, la température de l'eau d'un lac profond change lentement. Dans un étang ou un lac peu profond, la température de l'eau varie selon celle de l'air,
comme le démontre le graphique ci-dessus.

TRANSPARENCE DE L'EAU. Permet à suffisamment de
lumière d'y pénétrer pour que les plantes puissent mener à
bien la photosynthèse. La profondeur jusqu'à laquelle la
lumière peut pénétrer diminue lorsque l'eau devient plus
trouble ou contient davantage de matières en suspension.
Peu de plantes poussent dans les étangs boueux, car la
vase absorbe la lumière.

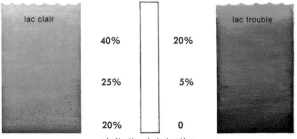

lac clair   lac trouble

40%   20%

25%   5%

20%   0

pénétration de la lumière

11

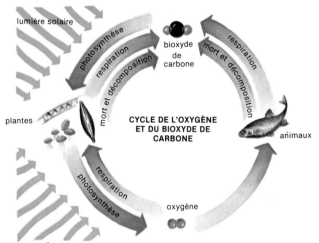

lumière solaire

photosynthèse

respiration

bioxyde de carbone

mort et décomposition

respiration

mort et décomposition

plantes

CYCLE DE L'OXYGÈNE ET DU BIOXYDE DE CARBONE

animaux

respiration

photosynthèse

oxygène

OXYGÈNE ET GAZ CARBONIQUE. Ils circulent constamment entre les plantes et les animaux et leur environnement. La proportion de ces gaz dans l'atmosphère est généralement constante : oxygène, 21% ; gaz carbonique, 0,03%. Dans les eaux d'un étang, d'un lac ou d'un cours d'eau, cette proportion varie habituellement beaucoup, même entre le jour et la nuit.

L'oxygène, qui est nécessaire à la survie de la presque-totalité des plantes et animaux, est très soluble dans l'eau, mais la quantité dissoute dans l'eau douce est beaucoup moindre que dans l'atmosphère. L'eau absorbe lentement l'oxygène de l'air, mais ce processus est accéléré lorsque le vent et les vagues en troublent la surface. En outre, plus l'eau est froide, plus elle contient d'oxygène.

Durant le jour, lorsque la lumière solaire pénètre dans l'eau, les plantes libèrent de l'oxygène comme sous-produit de la photosynthèse plus rapidement que n'en consomment les plantes et animaux en respirant. Une réserve d'oxygène s'accumule. Dans l'obscurité, lorsque la photosynthèse s'arrête, plantes et animaux utilisent cet oxygène. Pour cette raison, la teneur en oxygène des étangs et

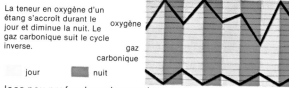

La teneur en oxygène d'un étang s'accroît durant le jour et diminue la nuit. Le gaz carbonique suit le cycle inverse.

oxygène

gaz carbonique

jour ▢   nuit ▨

lacs peu profonds varie grandement au cours d'une période de 24 heures.

Le gaz carbonique, plus soluble dans l'eau que l'oxygène, provient à la fois de la décomposition des matières organiques et de la respiration des plantes et animaux. Une certaine quantité provient aussi des eaux contenues dans le sol, ou de l'atmosphère, soit directement, soit par la pluie. Près du fond des lacs profonds, la quantité de gaz carbonique dissous peut être très élevée. Peu de plantes et d'animaux survivront à cet endroit. Le gaz carbonique est utilisé par les plantes dans la photosynthèse. C'est la source du carbone qu'on trouve dans les gras, les protéines et les hydrates de carbone, ces substances à la base de l'alimentation des animaux.

Le gaz carbonique est également important dans la détermination du pH de l'eau — son degré d'acidité ou d'alcalinité. Il se combine à l'eau pour former un acide carbonique faible, lequel réagit à son tour avec le calcaire ou la chaux dissoute s'ils sont présents, pour former des carbonates et des bicarbonates. Ces composés sont des sources indirectes de carbone et servent aussi de « tampon » pour régulariser le pH. Le pH de l'eau détermine souvent quels animaux et plantes y vivent (ci-dessous). Par exemple, les mollusques à coquille calcaire ne peuvent vivre dans les milieux acides.

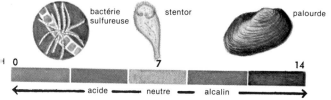

bactérie sulfureuse   stentor   palourde

0   7   14

← acide — neutre — alcalin →

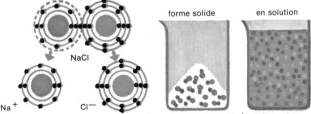

forme solide · en solution

NaCl

Na$^+$ · Cl$^-$

Lorsque le sel de table se dissout, il se sépare en ions (Na$^+$ et C1$^-$) qui se répandent dans la solution.

SELS MINÉRAUX DISSOUS dans un étang, un lac ou un cours d'eau. Comprennent des phosphates, des nitrates, des chlorures, des sulfates, des carbonates, etc. Ces « minéraux » proviennent d'une combinaison chimique avec des éléments comme le potassium, le magnésium, le calcium, le sodium et le fer. En solution, ces composés sont séparés en leurs ions composants. (Par exemple, le carbonate de calcium, CO_3Ca, devient CO_3^{--} et Ca^{++}). Ces minéraux sont absorbés par les plantes à l'état d'ions plutôt que de sels. Toute plante ou animal a besoin de petites quantités de ces minéraux dans la construction de leur protoplasme cellulaire et des tissus de leur corps. Les plantes flottantes prennent les minéraux directement dans l'eau ; les plantes aquatiques à racines, du fond de l'étang. Les animaux tirent les minéraux des plantes et animaux dont ils se nourrissent. Les minéraux sont aussi rejetés par les plantes et les animaux qui meurent et se décomposent dans l'étang ou le lac. Ainsi, ces minéraux sont maintenus dans le cycle.

Une colonie flottante d'algues vertes (1) prend ses minéraux dans l'eau, les plantes à racines (2), du fond de l'étang et la tortue (3), des plantes qui la nourrissent.

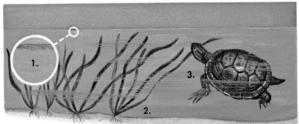

STRATIFICATION THERMIQUE. Se produit dans les lacs profonds des zones tempérées. En été, la surface de l'eau absorbe la chaleur du soleil et se réchauffe plus rapidement que l'eau située en dessous. L'eau réchauffée est moins dense que l'eau froide et ainsi, elle flotte sur les couches inférieures plus fraîches. Vers le milieu de l'été, il y a trois couches distinctes.

Trop peu de lumière pénètre dans les couches moyenne et inférieure pour permettre la photosynthèse et la thermocline, couche où se produit une forte variation de la température, agit comme barrière pour empêcher la circulation verticale de l'eau entre les niveaux supérieur et inférieur. En outre, la décomposition des débris organiques dans la couche inférieure accroît la quantité de gaz carbonique et réduit celle de l'oxygène. Dans ces profondes collections d'eau, presque tous les poissons et autres animaux vivent au-dessus de la thermocline, où se trouvent de la nourriture et de l'oxygène en abondance.

STRATIFICATION ESTIVALE

couche supérieure chaude	température entre 18-24°C
couche moyenne, baisse rapide de la température	7-18°C
couche du fond beaucoup plus froide que les couches supérieures	4-7°C

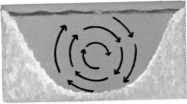

printemps et automne

Au cours de la circulation des eaux au printemps et en automne, la température de l'eau s'équilibre dans tout le lac. Les poissons et autres animaux sont actifs et leur population largement répartie.

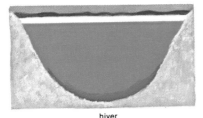

hiver

L'activité est très réduite en hiver, sous la glace. Plusieurs animaux hibernent dans la boue ou les débris au fond. Certains poissons continuent à se nourrir, mais moins activement.

La couche supérieure de l'eau se refroidit en automne jusqu'à ce qu'elle s'approche de la température des couches moyenne et inférieure. Grâce aux vents, l'eau de surface coule, provoquant une circulation du sommet au fond. Cela s'appelle le « retournement d'automne ». En hiver, l'eau froide de surface continue à couler jusqu'à ce que sa densité commence à décroître, près du point de congélation. L'eau sur le point de geler (au-dessous de 4°C) finit par se changer en glace à la surface.

La couverture de glace empêche le vent de faire circuler l'eau ; il se produit alors la « stagnation hivernale ». La glace épaisse ou la neige filtrent également la lumière et peuvent stopper la photosynthèse. Le manque d'oxygène peut entraîner la mort des plantes et animaux. Lorsque la glace fond au printemps et que l'eau de surface se réchauffe au-dessus de 4°C, celle-ci devient plus dense. Grâce aux vents, il se produit alors une nouvelle circulation ou brassage de l'eau, le « retournement du printemps », jusqu'à ce que sa température soit de nouveau relativement uniforme.

LES HABITATS
DANS LES ÉTANGS ET LES LACS

Les habitats sont des endroits où l'on retrouve des groupes relativement particuliers de plantes ou d'animaux. Dans les lacs et les grands étangs, les quatre habitats facilement discernables sont la pellicule de la surface, la zone pélagique, le fond et le littoral.

PELLICULE DE LA SURFACE. Habitat des animaux flottants respirant de l'air et des animaux dotés d'organes spéciaux leur permettant de marcher sur la surface sans la rompre. Certaines espèces de coléoptères aquatiques et de plantes nageantes ne sont adaptées que pour vivre au-dessus de la pellicule. Les larves de certains coléoptères et de certaines mouches passent un bon moment en suspension sous la pellicule. Les animaux vivant en surface se nourrissent de plantes flottantes, s'en prennent les uns aux autres ou mangent des insectes ou d'autres animaux noyés flottant à la surface.

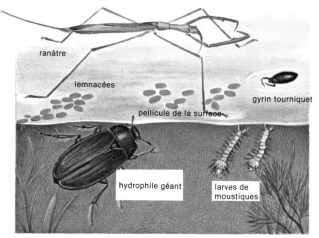

ranâtre

lemnacées

gyrin tourniquet

pellicule de la surface

hydrophile géant

larves de moustiques

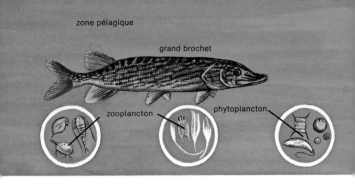

zone pélagique

grand brochet

zooplancton

phytoplancton

ZONE PÉLAGIQUE. Renferme les gros animaux nageant librement, comme les poissons et des plantes et animaux microscopiques dérivant en suspension dans l'eau. Ces organismes à la dérive, qu'on appelle le plancton, surpassent largement en nombre tous les gros habitants des étangs. Les petites plantes en suspension ou phytoplancton, sont pour la plupart des algues, la nourriture de base dans les lacs et étangs. Parfois, certaines espèces de phytoplancton se multiplient en grand nombre, formant un nuage qui obscurcit l'eau. Le zooplancton consiste en de petits animaux en suspension — nombreux petits crustacés, rotifères, larves de certains insectes et autres invertébrés. Les espèces et la population de plancton varient avec les saisons, mais c'est au printemps que leur nombre est généralement le plus élevé.

Les tortues, les oiseaux et les gros poissons fréquentent la zone pélagique. Les petits poissons demeurent habituellement parmi les plantes près de la berge. À la nuit certaines larves d'insectes et des crustacés émigrent du fond vers la surface puis, retournent en eau plus profonde quand revient la lumière du jour.

La zone pélagique se termine là où les plantes commencent à avoir des racines. Les étangs et lacs peu profonds où la végétation de surface s'étend d'une rive à l'autre sont dépourvus de zone pélagique. Les zones pélagiques profondes des grands lacs contiennent peu ou pas de vie.

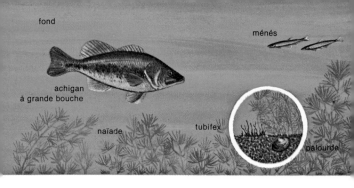

fond

ménés

achigan
à grande bouche

naïade

tubifex

palourde

FOND DES ÉTANGS ET LACS. Offre une variété de conditions de vie à partir de la berge jusqu'aux régions les plus profondes. Un fond sablonneux peu profond (p. 20) peut abriter des éponges, des colimaçons, des vers de terre et des insectes. Si l'eau est calme, le fond est habituellement couvert de boue ou de vase et contient beaucoup de débris organiques. Les écrevisses et les larves d'éphémères, de libellules et de demoiselles sont parmi les nombreuses espèces d'animaux qui s'enfouissent dans la boue du fond. D'autres vivent parmi les plantes où la nourriture est habituellement abondante et où elles trouvent protection contre les prédateurs.

Les conditions de vie au fond de la zone profonde sont tout à fait différentes. Si le lac est très profond ou l'eau trouble, la lumière n'atteint pas le fond et les plantes n'y peuvent pousser. Les animaux s'abritent difficilement, la teneur en oxygène dissous est basse et la concentration de gaz carbonique élevée. Parmi les quelques animaux plus gros qui peuvent vivre dans la zone profonde, on retrouve des vers de terre, de petites palourdes et des larves de mouches. Les bactéries de décomposition sont communément abondantes dans cette zone profonde. Elles sont importantes pour réintégrer les substances chimiques dans le cycle de la vie.

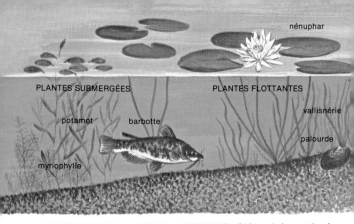

nénuphar

PLANTES SUBMERGÉES · PLANTES FLOTTANTES

potamot · barbotte · vallisnérie · palourde · myriophylle

HABITAT DE LA ZONE LITTORALE. S'étend à partir du bord de l'eau jusque là où cessent de pousser les plantes à racines. Dans la plupart des étangs et dans beaucoup de lacs peu profonds, cette zone peut s'étendre d'une berge à l'autre. Dans plusieurs lacs, on retrouve typiquement trois bandes concentriques de plantes à fleurs, sauf là où le rivage est tellement rocheux ou balayé par les vagues que les plantes ne peuvent y pousser.

Le plus près de la berge se trouve la *zone des roseaux*. Elle est dominée par des plantes qui sont enracinées au fond et munies de tiges et de feuilles au-dessus de la surface. Les herbes, laîches et joncs sont des herbes particulières de la zone des roseaux des étangs et lacs du monde entier. Plusieurs espèces de grenouilles, d'oiseaux et de mammifères y trouvent nourriture et abri. Une diversité d'algues, protozoaires, vers, insectes, colimaçons et petits poissons vivent parmi les tiges immergées des plantes.

Les nénuphars aux larges feuilles aplaties et des plantes flottantes comme les fougères d'eau et les lemnacées caractérisent la *zone des plantes à feuilles flottantes*. Parce que les masses de feuilles flottantes tamisent la lumière, les plantes de fond peuvent être rares. Certains colimaçons, coléoptères et éphémères pondent sur le

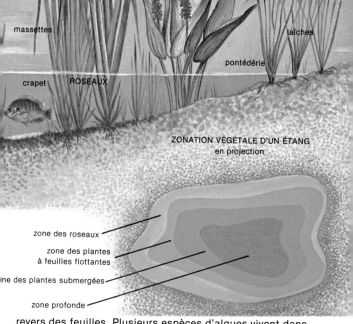

massettes

laîches

pontédérie

crapet

ROSEAUX

ZONATION VÉGÉTALE D'UN ÉTANG
en projection

zone des roseaux

zone des plantes
à feuilles flottantes

zone des plantes submergées

zone profonde

revers des feuilles. Plusieurs espèces d'algues vivent dans cette zone, attachées à des plantes plus grosses ou flottant librement. Les crapets et d'autres poissons s'y reproduisent et y nichent.

La bande la plus profonde de végétation forme la *zone des plantes submergées*. Les potamots, cornifles et élodées sont particuliers à cette zone. Toutes ont des feuilles qui sont longues et sinueuses ou touffues et très branchues, adaptation caractéristique de ces quelques plantes à fleurs poussant complètement submergées. Les fleurs se pollinisent au-dessus de la surface ; les graines germent et les jeunes plantes ne se développent que sous l'eau.

La zone littorale, dominée par des plantes plus hautes, est la plus riche de la communauté d'un étang. Là se trouve le plus grand nombre d'espèces, tant végétales qu'animales. La zone littorale est la plus facile à visiter et à étudier pour un observateur.

LES CHAÎNES ALIMENTAIRES

Sauf la lumière solaire, source d'énergie nécessaire aux plantes pour leur photosynthèse, un étang ou un lac contient ou produit tout ce qui est nécessaire à la survie des plantes et des animaux qui y vivent ou à proximité. Les étangs, parce que habituellement plus petits, sont des endroits particulièrement appropriés pour apprendre les relations des plantes et des animaux entre eux et avec leur environnement. Les liens les plus communs s'établissent par la production et la consommation de nourriture.

Toutes les plantes vertes, des plantes flottantes microscopiques aux plantes à fleurs comme les nénuphars, produisent de la nourriture. Les plantes deviennent les aliments des animaux herbivores comme les larves d'éphémères, les petits crustacés et certaines espèces de coléoptères. Ces animaux sont à leur tour la proie des petits animaux carnivores comprenant les poissons, les larves de libellules et de coléoptères. Si aucun animal ne les mange, chaque plante ou animal finit par mourir et se décomposer. Son protoplasme est réduit aux matières de base dont les plantes vertes ont besoin pour croître. Ainsi, le cycle des aliments est continu.

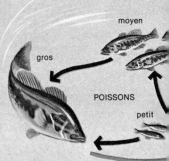

Dans les étangs, les chaînes alimentaires peuvent être complexes, plusieurs sources alimentaires directes ou indirectes suppléant aux besoins nutritifs des consommateurs. Toutes, cependant, remontent aux plantes vertes, les producteurs primaires d'aliments, qui tirent leur énergie du soleil. Ce diagramme illustre quelques relations alimentaires. Les flèches noires représentent les interactions les plus directes et les plus importantes ; les rouges, celles de moindre importance.

moyen

gros

POISSONS

petit

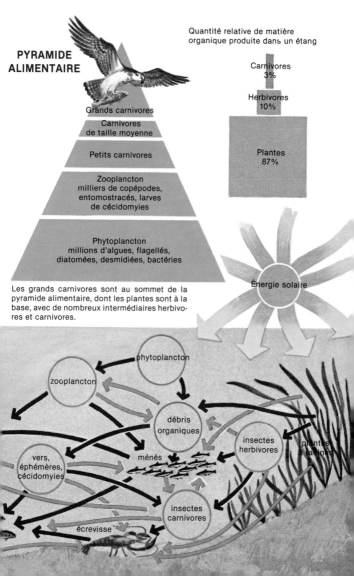

PYRAMIDE ALIMENTAIRE

Quantité relative de matière organique produite dans un étang

Carnivores 3%

Herbivores 10%

Plantes 87%

Grands carnivores

Carnivores de taille moyenne

Petits carnivores

Zooplancton
milliers de copépodes, entomostracés, larves de cécidomyies

Phytoplancton
millions d'algues, flagellés, diatomées, desmidiées, bactéries

Les grands carnivores sont au sommet de la pyramide alimentaire, dont les plantes sont à la base, avec de nombreux intermédiaires herbivores et carnivores.

Énergie solaire

phytoplancton

zooplancton

débris organiques

insectes herbivores

plantes à racines

vers, éphémères, cécidomyies

ménés

insectes carnivores

écrevisse

ÉVOLUTION DES ÉTANGS ET DES LACS

Le nombre et les espèces de plantes et d'animaux composant la communauté d'un étang ou d'un lac changent continuellement. Ces changements réguliers et progressifs s'appellent une « succession ». Certains sont rapides, d'autres se produisent lentement. Il faut souvent des centaines d'années pour que se complète l'évolution d'un étang. On peut souvent voir plusieurs stades de maturation dans les différents étangs d'une région. Dans son jeune âge, la matière organique provenant des plantes et animaux pionniers et des débris ne fait que commencer à s'accumuler dans l'étang (1). Avec le temps, des graines de plantes émergentes parviennent à l'étang par le vent, l'eau ou les animaux venant le visiter, et les plantes commencent à s'aligner le long de la berge (2). Ensuite, de petits poissons, des colimaçons, des moules, des phryganes, des éphémères et des libellules trouvent suffisamment de nourriture pour vivre dans l'étang. Certains y parviennent à l'état

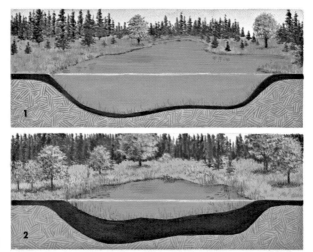

d'oeuf transporté sur les pattes des oiseaux ou autres visiteurs de l'étang. Les insectes adultes peuvent voler d'un étang à l'autre ; les grenouilles, les tortues, les souris et autres gros animaux voyagent par terre.

Le potamot finit par devenir abondant sur le fond et les plantes émergentes de la berge s'avancent plus loin dans l'étang. Toutes apportent de plus en plus de matière organique au fond en mourant et en se décomposant. À mesure que la population végétale change de caractère, ainsi en est-il des espèces de poissons, insectes et autres animaux.

Finalement, la végétation émergente s'étend d'une berge à l'autre de l'étang qui peut maintenant s'appeler un marais (3). (Les marais peuvent aussi avoir des origines différentes.) Les chabots, salamandres, grenouilles et tortues sont alors les gros animaux prédominants ; les vers vivent dans l'épais fond de boue et on trouve plusieurs insectes aquatiques dans les eaux herbeuses et peu profondes. Les plantes terrestres envahissent la berge riche en humus. Le comblement se poursuit jusqu'à ce que ce qui constituait un étang devienne une prairie ou une forêt (4). Il s'agit de l'état stabilisé ou culminant.

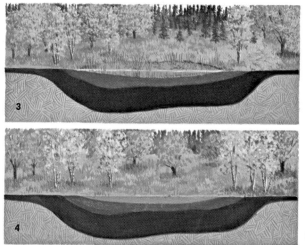

Les changements dans la communauté se produisent aussi entre le jour et la nuit et d'une saison à l'autre. Plusieurs animaux demeurent terrés ou enfouis dans la végétation dense durant le jour. À la nuit, ils sortent à la recherche de nourriture. Certains crustacés planctoniens flottent à la surface la nuit, puis retournent dans les profondeurs le jour. Après un hiver tranquille, où l'étang est souvent recouvert de glace, la vie fleurit à nouveau avec le réchauffement du printemps. Les plantes s'épanouissent, les insectes immatures muent et s'envolent en essaims d'adultes, les poissons frayent et les grenouilles et les tortues sortent d'hibernation. L'activité se poursuit tout le long de l'été, puis diminue en automne, avec l'approche de l'hiver et la chute de la température de l'eau.

Profondeur

20h 30

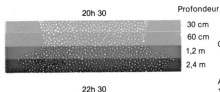

30 cm
60 cm
1,2 m
2,4 m

**CHANGEMENT DU JOUR
ET
DE LA NUIT**

22h 30

30 cm
60 cm
1,2 m
2,4 m

Au cours d'une période de 12h, la population de copépodes d'un étang de Floride varie en densité, comme l'illustre la figure ci-contre. Les lignes horizontales de points blancs indiquent le nombre relatif d'individus par tranche de 30 cm. Remarquez que vers 8h 30, ils sont presque tous retournés en eau profonde.

0h 30

30 cm
60 cm
1,2 m
2,4 m

4h 30

30 cm
60 cm
1,2 m
2,4 m

8h 30

L'OBSERVATION ET LA RÉCOLTE

On peut observer et identifier beaucoup de plantes et d'animaux des étangs et lacs dans leur environnement naturel. Souvent, cependant, il est nécessaire de les récolter pour une inspection détaillée, ou de garder des plantes et des animaux de petite taille en aquarium pour en savoir plus sur leurs habitudes. Il est intéressant de noter l'adaptation des plantes et animaux à des habitats variés (p. 17) et d'observer les variations entre les genres découverts dans différents types d'étangs.

Les grosses plantes et les animaux ne nécessitent pas d'équipement de récolte spécial ou coûteux. De simples ustensiles de cuisine ou des outils qu'on peut se fabriquer facilement feront l'affaire. On peut se procurer l'équipement spécial chez les fournisseurs d'articles de biologie.

L'abondance de vie autour et dans les étangs vaut la peine qu'on l'observe et la récolte.

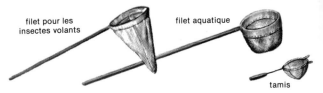

filet pour les insectes volants

filet aquatique

tamis

FILETS et autres tamis sont essentiels dans la récolte de spécimens. Pour attraper des insectes volants, servez-vous d'un filet conique de tissu à mailles fines tendu sur un cerceau attaché à un long manche. Dans l'eau, on utilisera un filet en forme de sac sur un cadre très fort avec un manche solide ou un morceau de moustiquaire tendu entre deux bâtons pour récolter parmi les plantes ou dans la fange. On attrape les poissons et les gros animaux avec une seine.

Les filets à plancton sont faits avec du tissu à mailles très serrées. Pour le phytoplancton, il faut au moins 70 mailles au centimètre. Pour le zooplancton plus gros, on peut se fabriquer un filet assez satisfaisant en attachant la partie supérieure d'un bas de nylon à un cerceau de taille appropriée. Puis on coupe le pied et attache le bout autour du goulot d'un pot. On peut tirer ce filet dans l'eau ou prendre de l'eau de l'étang et l'y vider.

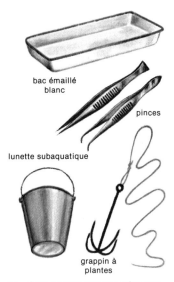

bac émaillé blanc

pinces

lunette subaquatique

grappin à plantes

BACS ÉMAILLÉS BLANCS. Pratiques pour trier les débris qu'on prend au filet. On met un peu de débris dans un bac à moitié rempli d'eau. On voit bientôt bouger les animaux vivants sur le fond blanc. Des pinces sont les instruments les plus pratiques pour manipuler les spécimens.

LUNETTE SUBAQUATIQUE. Facile à fabriquer en scellant un morceau de verre dans un seau ou une boîte à l'épreuve de l'eau dont on aura enlevé le fond. On en trouve aussi dans le commerce.

GRAPPIN À PLANTES attaché à une ligne. Pratique pour tirer sur les plantes des eaux profondes afin de les examiner.

...OT DE POISON POUR TUER LES ...SECTES. Placer un tampon d'ouate ...bibé de liquide nettoyant (tétrach...ure de carbone) au fond d'un pot ...nt le couvercle visse. On peut s'en ...ocurer de types différents chez les ...urnisseurs spécialisés.

...OLES ET BOCAUX contenant un ...éservatif sont importants lors d'un ...yage pour ramener des spécimens. ...s bocaux dont les couvercles vis... ...nt sont les plus appropriés. Les 2 ...éservatifs les plus communément ...ployés sont l'alcool et le formol. ...lcool à friction (isopropylique) ...ut convenir. L'alcool éthylique ...néralement vendu est d'une teneur ... 95% et on peut le réduire de 60 à ...%. Le formol qu'on trouve en ...gasin est généralement de 40% et ...t être réduit à 5%.

...SETTE. Très pratique pour trans...rter ses outils, ses contenants, une ...usse de premiers soins, un cou... ...u, un crayon, un calepin et ses ...jets personnels.

...UARIUM. Endroit excellent pour ...dier les habitudes et le mode de ... des plantes et animaux. On peut ...nserver ses spécimens longtemps ...'aquarium est « équilibré ».

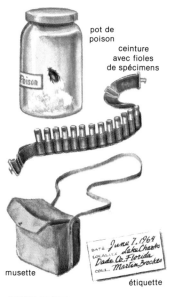

pot de poison

ceinture avec fioles de spécimens

musette

étiquette

NOTES ET ÉTIQUETTES donneront à vos spécimens leur valeur scientifique. Sur le terrain, on peut faire au crayon des étiquettes temporaires qu'on place dans la fiole ou le bocal avec les spécimens. Par la suite, on peut les taper à la machine ou les écrire en lettre moulées à l'encre indélébile. Gardez-les toujours avec vos spécimens.

LES PLANTES

Les plantes constituent l'aspect le plus voyant de l'environnement d'un étang, lac ou cours d'eau. Leur rôle est des plus importants, parce que seules les plantes peuvent transformer l'énergie solaire en énergie chimique emmagasinée dans les aliments. Les plantes vertes — celles contenant les pigments de la chlorophylle — le font par le processus de la photosynthèse, en utilisant le bioxyde de carbone, l'eau et l'énergie solaire.

Les plantes les plus simples sont les thallophytes, ce groupe comprenant les bactéries, les fongus et les algues (pp. 31-38). Beaucoup de ces plantes inférieures sont unicellulaires et microscopiques, mais elles sont parfois si abondantes qu'elles colorent l'eau et lui donne une odeur particulière. Les plus petites de ces plantes sont les plus importants producteurs d'aliments de l'environnement aquatique. Les filaments des algues qui forment les mousses familières des étangs abritent habituellement beaucoup d'animaux microscopiques.

Les bryophytes, plus gros et d'une structure et d'un mode de vie légèrement plus complexes, comprennent les hépatiques et les mousses (pp. 39-41). Ils poussent abondamment dans le sol humide le long des berges et quelques uns sont aquatiques.

Les plantes vasculaires comprennent les fougères (pp. 42-45) et les plantes porteuses de graines (pp. 46-73). Ce sont les plus grosses et les plus complexes des plantes. Les fougères sont des plus typiques sur les berges humides, bien que certaines espèces soient aquatiques. Certaines des plantes porteuses de graines poussent complètement submergées. D'autres sont enracinées au fond, mais leurs feuilles et leurs fleurs peuvent être sur la surface ou au-dessus. Ces plantes offrent protection et lieux de nidification à une variété de poissons et autres animaux ; certaines sont une importante ressource alimentaire des mammifères, des oiseaux aquatiques et des tortues. Des herbes et des buissons entourent la berge ; des arbres en couronnent le contour.

ALGUES. Forment les mousses des étangs et les excroissances vertes velues sur les objets submergés dans les étangs et lacs. Les « éclosions » de diatomées donnent à l'eau une couleur brunâtre. La taille des plantes prises individuellement varie de la simple cellule aux enchevêtrements de charophycées ressemblant à de denses pousses de plantes supérieures. Les cellules uniques de certaines algues sont réunies pour former des chaînes ou des filaments. D'autres algues unicellulaires nagent comme des protozoaires. Les algues poussent dans toutes les eaux naturelles — même dans les sources chaudes. Elles contiennent de la chlorophylle et souvent d'autres pigments.

Les algues sont le fondement de la pyramide alimentaire des étangs et lacs. En fabriquant des aliments, les algues relâchent de l'oxygène, ce qui en accroît la quantité dissoute dans l'eau. Mais lorsqu'elles sont surabondantes, leur décomposition peut épuiser l'oxygène et causer la mort des animaux et plantes aquatiques.

PRINCIPAUX GROUPES D'ALGUES D'EAU DOUCE

ALGUES BLEUES (cyanophycées), à cellules sans noyau et pigmentation clairsemée. Enduit visqueux.

ALGUES VERTES (chlorophycées), avec noyau et pigments dans des corps distincts. Les plus abondantes dans les étangs. p. 34.

CHAROPHYCÉES, grandes algues vertes, cassantes à cause du calcaire. p. 36.

EUGLÉNIENS, à cellules verdâtres ou brunâtres, nagent à l'aide d'un flagelle. Ont des ocelles rouges. p. 36.

DINOFLAGELLÉS à un flagelle ou plus ; nagent librement en zone pélagique.

DIATOMÉES, enfermées dans deux coquilles qui s'emboîtent parfaitement. p. 37.

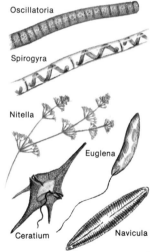

Oscillatoria

Spirogyra

Nitella

Euglena

Ceratium

Navicula

ALGUES BLEUES (cyanophycées). Plantes simples unicellulaires sans noyau (centre de la cellule) bien défini. En plus de la chlorophylle verte, on y voit un pigment bleu et parfois un rouge. Les pigments s'étendent dans toute la cellule plutôt que dans des corps distincts, comme chez toutes les autres algues. Chez la plupart des cyanophycées, les cellules s'attachent les unes aux autres pour former des chapelets effilés ou des filaments. Des plus abondantes dans les étangs contenant beaucoup de matières organiques ; ainsi la présence de fortes pousses d'algues bleues peut être un indice de pollution des eaux. De telles explosions sont communes au printemps et à l'été, quand les conditions sont favorables et que la population d'algues atteint un sommet. Une abondance d'algues bleues peut donner à l'eau une odeur et un goût désagréables et certaines rendent l'eau empoisonnée pour les animaux qui la boivent.

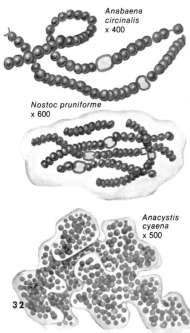

Anabaena circinalis
x 400

Nostoc pruniforme
x 600

Anacystis cyaena
x 500

ANABAENA. Ressemble à un collier de perles avec des cellules vides plus grosses parsemées le long du filament. Les masses d'*Anabaena* sont communes, décolorant l'eau et lui donnant un odeur putride lorsque les cellules meurent et se décomposent.

NOSTOC. Semblable à *Anabaena*, est enfermé dans une masse gélatineuse. Les filaments peuvent flotter ou s'attacher à des objets ; vit aussi dans les cours d'eau rapides ou sur les berges humides. Dans les lacs, peut croître dans l'eau jusqu'à 20 m de profondeur.

ANACYSTIS. Forme une colonie lâche de petites cellules sphériques vertes dans une masse gélatineuse informe. La colonie flotte dans l'eau et est visible à l'oeil nu. On la trouve souvent avec *Anabaena*. Peut être toxique pour les animaux.

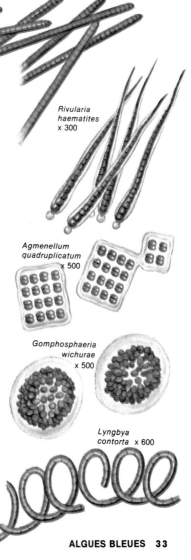

Oscillatoria agardhii
x 400

OSCILLATORIA. Algue bleue filamenteuse poussant en amas ou enchevêtrements denses aux couleurs sombres. Au microscope, on voit les minces filaments se tordre. Des fragments s'en détachent et flottent à la dérive, créant de nouvelles colonies.

Rivularia haematites
x 300

RIBULARIA. Pousse en amas filamenteux dans une épaisse masse gélatineuse. Les amas, parfois épais de 3 cm, ont souvent une croûte calcaire. Lorsqu'en abondance, cette algue donne à l'eau une odeur de moisi et ses pousses peuvent obstruer les filtres des conduites d'eau.

Agmenellum quadruplicatum
x 500

AGMENELUM. Plaque aplatie ou recourbée de cellules brillantes bleues. Les grosses plaques se séparent en unités rectangulaires plus petites. Habituellement, les colonies flottent librement dans l'eau. On les appelle parfois *Merismopedia*.

Gomphosphaeria wichurae
x 500

GOMPHOSPHAERIA. Pousse dans une colonie globulaire, les cellules sont seules ou par paires dans une enveloppe gélatineuse, attachées au centre par des brins collants. Plusieurs espèces sont communes dans les lacs ; certaines se développent en bourgeons.

Lyngbya contorta x 600

LYNGBYA. Algue bleue filamenteuse commune dans les lacs et cours d'eau. Chaque filament est entouré d'une mince enveloppe gélatineuse. Certaines espèces flottent librement ; d'autres sont attachées. L'espèce illustrée croît en spirale.

ALGUES BLEUES 33

ALGUES VERTES (chlorophycées), sont d'un vert brillant et contiennent leurs pigments dans des chloroplastes. La cellule a un noyau bien défini. Les algues vertes se retrouvent à l'état de cellules uniques, en colonies rondes et aplaties, et en filaments. Les algues vertes sont plus abondantes dans les étangs et lacs que tous les autres groupes d'algues réunis. Certaines espèces sont marines.

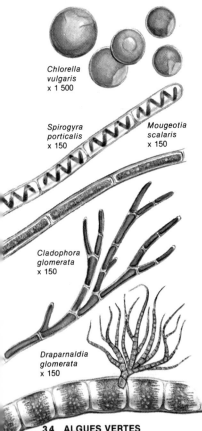

Chlorella vulgaris
x 1 500

Spirogyra porticalis
x 150

Mougeotia scalaris
x 150

Cladophora glomerata
x 150

Draparnaldia glomerata
x 150

CHLORELLA. Algue verte unicellulaire, peut se trouver en amas ou agrégats lâches ou en cellules solitaires mélangées à d'autres algues. Commune en Amérique du Nord, surtout dans les eaux organiquement riches ou polluées, leur donnant une odeur de moisi.

SPIROGYRA. Algue filamenteuse verte commune avec un chloroplaste spiralé dans chaque cellule. Forme de denses couvertures à la surface des étangs au printemps. Sa parente, *Mougeotia*, un long chloroplaste en forme de plaque tourne à l'intérieur de la cellule en s'ajustant à l'intensité de la lumière solaire.

CLADOPHORA, à longues cellules effilées formant des filaments ramifiés. Certaines espèces poussent attachées ; d'autres flottent en amas enchevêtrés. Les courants sous-marins peuvent rouler *Cladophora* en boules de 7 à 10 cm de diam. Lorsque son centre se décompose, la boule monte à la surface.

DRAPARNALDIA, composée de cellules en forme de baril d'où émanent de longs filaments à nombreuses branches terminées par des ramifications plus petites. Pousse habituellement attachée aux rochers, pieux ou autres objets.

PEDIASTRUM ET HYDRODICTYON sont très apparentées. *Pediastrum*, forme commune de plancton flottant, comporte plusieurs espèces. *Hydrodictyon* forme des feuilles plates ou colonies cylindriques de plusieurs cm d'épaisseur. Les 2 vivent bien en eau tranquille.

SCENEDESMUS ET ANKISTRODESMUS, qu'on trouve souvent ensemble, sont communes dans les petits étangs. *Ankistrodesmus* habituellement entremêlée avec d'autres algues. Les cellules de *Scenedesmus* sont plus petites et la plupart des espèces poussent en colonies.

DESMIDIÉES. Cellules vert clair, bien formées, communes dans le plancton, surtout dans les lacs et mares d'eau douce (pH bas). L'isthme entre les deux demi-cellules est caractéristique des desmidiées. Les cellules de certaines desmidiées se réunissent bout à bout, formant des filaments. *Micrasterias* divisée en deux demi-cellules typiques et *Closterium*, dont les cellules sont habituellement en forme de croissant et dépourvues d'isthme ; ce sont deux types communs d'algues unicellulaires.

VOLVOX. Forme de grandes colonies sphériques creuses composées de cellules qui ont un ocelle et deux flagelles. Souvent, des milliers de cellules sont enchâssées dans une enveloppe gélatineuse d'où émane le flagelle. Chez la plupart des espèces, les cellules sont réunies par des brins de protoplasme. Les nouvelles colonies se forment à l'intérieur de celles déjà existantes. Le mouvement des flagelles fait rouler *Volvox* dans l'eau.

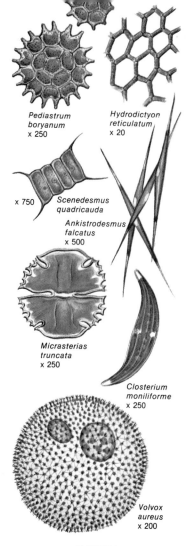

Pediastrum boryanum
x 250

Hydrodictyon reticulatum
x 20

x 750

Scenedesmus quadricauda

Ankistrodesmus falcatus
x 500

Micrasterias truncata
x 250

Closterium moniliforme
x 250

Volvox aureus
x 200

ALGUES VERTES 35

CHAROPHYCÉES. Algues vertes, plus grosses que les autres algues d'eau douce, classifiées parfois comme un groupe. Elles poussent mieux dans les eaux à pH élevé, formant des enchevêtrements denses sur le fond des étangs. Ont habituellement une odeur d'ail et certaines esp. sont couvertes d'une épaisse et brillante croûte calcaire. Tant *Chara* que *Nitella* ont des structures reproductrices à la jonction de leurs feuilles.

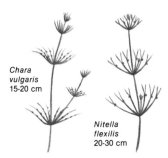

Chara vulgaris
15-20 cm

Nitella flexilis
20-30 cm

EUGLÉNIENS. Aussi classés comme des animaux car ils se déplacent indépendamment. Certaines espèces n'ont pas de pigment et se nourrissent comme des animaux, mais la plupart ont de la chlorophylle et produisent leur propre nourriture. *Euglena* est commune dans les étangs riches en matière organique et peut colorer l'eau en vert clair. N'a qu'un flagelle et un ocelle voyant. *Phacus* est très similaire, mais sa cellule est en forme de poire et moins flexible.

DINOFLAGELLÉS ont 2 flagelles. *Ceratium*, d'un type commun, est épineux et brunâtre. Ses deux flagelles reposent dans une fente de la coquille recouvrant cette plante unicellulaire. La plupart des espèces sont marines, mais celle illustrée et *C. caroliniana* vivent dans les étangs et lacs. *C. hirundinella* commun dans le plancton des lacs à eau dure, forme souvent des nuages bruns. *Peridinium* est une esp. marine ; on en compte environ 30 esp. en eau douce.

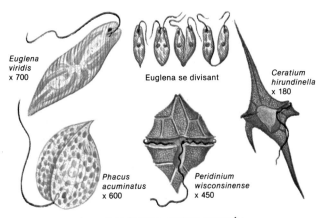

Euglena viridis
x 700

Euglena se divisant

Ceratium hirundinella
x 180

Phacus acuminatus
x 600

Peridinium wisconsinense
x 450

DIATOMÉES. Algues jaune-vert unicellulaires microscopiques. Les 2 moitiés ou valves de leur cellule s'emboîtent l'une dans l'autre. Les parois de la cellule, de silice et de pectine, peuvent être finement sculptées de creux et de lignes si parfaitement formées qu'on s'en sert pour vérifier le foyer des microscopes. Certaines espèces sont communes dans le plancton. Elles peuvent se déplacer, propulsées par une bande de protoplasme jaillissant le long de la fente de la valve. D'autres s'attachent aux objets submergés ou les unes aux autres avec des filaments.

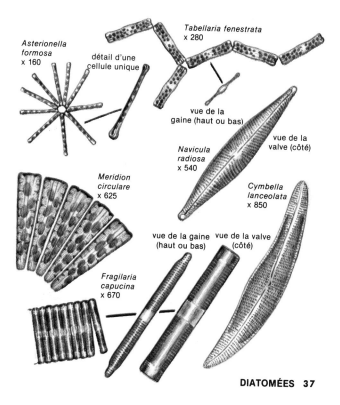

Tabellaria fenestrata
x 280

Asterionella formosa
x 160

détail d'une cellule unique

vue de la gaine (haut ou bas)

vue de la valve (côté)

Navicula radiosa
x 540

Meridion circulare
x 625

Cymbella lanceolata
x 850

vue de la gaine (haut ou bas)

vue de la valve (côté)

Fragilaria capucina
x 670

Thiothrix sp. x 100   *Sphaerotilus* sp. x 50   *Leptothrix* sp. x 100

BACTÉRIES. De taille microscopique, variant entre 1/10 000 et 1/100 000 cm. La plupart tirent leur énergie des plantes et animaux morts et sont ainsi les principaux agents de la décomposition. Elles retournent à l'étang des substances chimiques comme l'azote, le soufre et le phosphore. Les bactéries sont rarement abondantes dans les eaux bien oxygénées et donc rares dans les étangs et lacs limpides. Les types filamenteux ci-dessus vivent dans l'eau à teneur élevée en sulfure d'hydrogène (*Thiothrix*) ; dans les riches déchets organiques (*Sphaerotilis*) ; dans les milieux contenant beaucoup de fer (*Leptothrix*).

CHAMPIGNONS AQUATIQUES. Parasites des plantes et animaux vivants et saprophytes des individus morts. Les moisissures aquatiques (*Saprolegnia*, *Mitrula* et autres) forment des excroissances blanchâtres, frisottées, dont les ramifications s'étendent dans les blessures des poissons et autres animaux ou plantes d'un étang. Dans les aquariums et les piscicultures, ces champignons poussent aussi sur le frai et peuvent être difficiles à enrayer. Les filaments frisottés sont des structures reproductrices. Les spores sont produites en grand nombre et dispersées par le mouvement de l'eau. Elles germent et croissent en de nouveaux filaments.

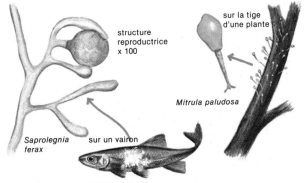

structure reproductrice x 100

sur la tige d'une plante

Mitrula paludosa

Saprolegnia ferax   sur un vairon

BRYOPHYTES (mousses et hépatiques) poussant dans les endroits ombragés et humides partout dans le monde ; communs dans les marécages et croissant souvent sur les arbres sous les tropiques humides. De grands lits d'hépatiques et de mousses se développent habituellement sur le sol récemment dégagé. Ces riches tapis empêchent l'érosion et retiennent l'humidité, pavant ainsi la voie aux plantes plus importantes.

HÉPATIQUES, poussant sur le sol humide et les rochers le long des berges et quelques espèces vivant dans l'eau. Le corps, ou thalle de certaines hépatiques est aplati et lobé (réniforme) ; chez d'autres, il est branchu et feuillu.

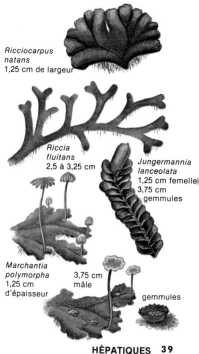

RICCIOCARPUS, souvent en masses denses vert-pourpre à la surface des étangs. Chaque thalle est épais et lobé, avec des filaments pourpres en dessous.

Ricciocarpus natans 1,25 cm de largeur

RICCIAS, à plusieurs branches minces. Lorsqu'abondantes, ces plantes s'empilent en masses vertes sur la berge ou forment un genre de filet à la surface.

Riccia fluitans 2,5 à 3,25 cm

JUNGERMANNIALES ont des semblants de feuilles disposées autour d'une tige. Certaines esp. ne se trouvent qu'en cours d'eau rapides ; d'autres poussent en plantes émergentes en eau calme.

Jungermannia lanceolata 1,25 cm femelle 3,75 cm gemmules

MARCHANTIA, poussant sur les berges humides. Les plantes mâles et femelles sont distinctes. Le sperme nage vers la femelle et féconde l'oeuf qui se développe ensuite en un stade produisant des spores. Demeure en parasite sur la femelle, émettant des spores qui poussent en de nouvelles plantes du stade sexué. Les Marchantias produisent aussi des boutons ou gemmules, qui poussent en de nouvelles plantes.

Marchantia polymorpha 1,25 cm d'épaisseur   3,75 cm mâle   gemmules

MOUSSES, poussant en denses enchevêtrements, comme les hépatiques, mais leurs feuilles aplaties partent d'une tige centrale. Parfois, un sporange, habituellement sur une longue queue, pousse à partir des tiges feuillues. Les spores y mûrissent puis tombent. Chaque spore qui germe devient une plante feuillue qui se reproduit sexuellement. Le cycle est complété lorsqu'un nouveau sporange apparaît.

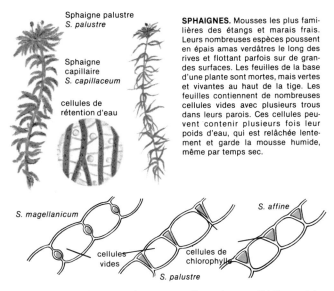

Sphaigne palustre
S. palustre

Sphaigne capillaire
S. capillaceum

cellules de rétention d'eau

S. magellanicum

S. affine

cellules vides

cellules de chlorophylle

S. palustre

SPHAIGNES. Mousses les plus familières des étangs et marais frais. Leurs nombreuses espèces poussent en épais amas verdâtres le long des rives et flottant parfois sur de grandes surfaces. Les feuilles de la base d'une plante sont mortes, mais vertes et vivantes au haut de la tige. Les feuilles contiennent de nombreuses cellules vides avec plusieurs trous dans leurs parois. Ces cellules peuvent contenir plusieurs fois leur poids d'eau, qui est relâchée lentement et garde la mousse humide, même par temps sec.

On peut identifier les nombreuses espèces de sphaignes grâce à plusieurs particularités. Chez un groupe, les branches forment des touffes plutôt épaisses et les parois des cellules vides sont renforcées par des épaississements en spirale dont les lignes sont clairement visibles. Chez un autre groupe, les branches sont minces et effilées, et les cellules vides n'ont pas d'épaississement en spirale.

Une autre caractéristique est la forme des cellules vivantes, celles contenant la chlorophylle et qui, par conséquent, sont vertes. Tel qu'illustré, les cellules de chlorophylle de *S. magellanicum* sont elliptiques. Celles de *S. palustre* sont étroitement triangulaires, mais chez *S. affine,* les triangles sont équilatéraux.

DICHELYMA CAPILLACEUM, pousse en climat frais, généralement en denses enchevêtrements de filaments verts et plumeux sur les objets submergés le long des rives des lacs et étangs, abritant quantité de petits animaux. Ses tiges sont minces et souvent fortement ramifiées, leur bout habituellement plus pâle que la base, pendant leur croissance. Libère ses spores en été.

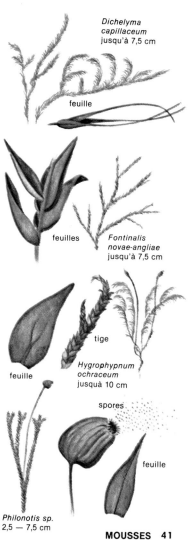

Dichelyma capillaceum
jusqu'à 7,5 cm

feuille

FONTINALES, poussent habituellement dans les cours d'eau froide à débit rapide, mais poussent parfois dans les étangs. Cette mousse vert foncé se rencontre soit en enchevêtrement flottant, soit en masse ondoyante attachée aux pierres et autres objets. Les feuilles lancéolées des *Fontinalis* sont densément rassemblées autour de la tige, sauf près de la base. Une des plus grandes mousses.

feuilles

Fontinalis novae-angliae
jusqu'à 7,5 cm

HYGROHYPNE, forme aquatique des hypnes des forêts humides. Pousse sur les pierres ou dans le sol des marais et étangs, mais est plus commune dans les cours d'eau à débit rapide. Ses feuilles sont disposées en spirales serrées autour de la tige.

feuille

tige

Hygrophypnum ochraceum
jusqu'à 10 cm

PHILONOTIS. Mousse vert foncé des eaux calmes ou stagnantes. Ses tiges dressées, d'env. 5 cm, forment souvent un enchevêtrement rampant sur les rochers ou le sable. Beaucoup de petits animaux y trouvent nourriture et abri. Les sporanges sont au bout d'une longue et mince tige. Cette plante blanchit lorsqu'elle sèche.

spores

feuille

Philonotis sp.
2,5 — 7,5 cm

PLANTES VASCULAIRES : ont généralement des racines, des tiges et des feuilles comportant des vaisseaux tubulaires, dont une série sert au transport des aliments fabriqués et une autre (xylème) conduit l'eau à partir des racines et aide aussi à supporter la plante. Ces particularités sont des adaptations à la vie sur terre où vivent la plupart des quelques 250 000 plantes vasculaires. Quelques espèces sont aquatiques ; leurs graines germent dans l'eau et les plantes poussent submergées ou sont au moins enracinées dans l'eau.

Les fougères et leurs semblables sont appelées « plantes vasculaires inférieures ». Les plantes ci-dessous poussent dans l'eau ou dans des sols très humides. En p. 43, se trouvent les fougères aquatiques suivie en pp. 44-45 des fougè-

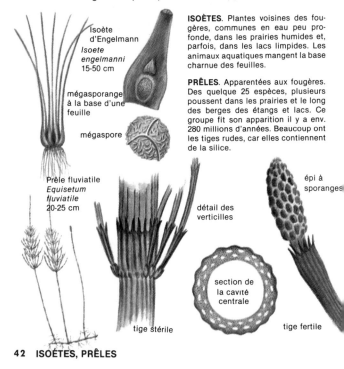

Isoète
d'Engelmann
*Isoete
engelmanni*
15-50 cm

mégasporange
à la base d'une
feuille

mégaspore

Prèle fluviatile
*Equisetum
fluviatile*
20-25 cm

détail des
verticilles

section de
la cavité
centrale

tige stérile

épi à
sporanges

tige fertile

ISOÈTES. Plantes voisines des fougères, communes en eau peu profonde, dans les prairies humides et, parfois, dans les lacs limpides. Les animaux aquatiques mangent la base charnue des feuilles.

PRÊLES. Apparentées aux fougères. Des quelque 25 espèces, plusieurs poussent dans les prairies et le long des berges des étangs et lacs. Ce groupe fit son apparition il y a env. 280 millions d'années. Beaucoup ont les tiges rudes, car elles contiennent de la silice.

res des terres humides. Chez les fougères, la phase productrice de spores (sporophyte) est apparente ; La phase sexuée est cachée.

Les « plantes vasculaires supérieures » ont des graines, des fleurs et de vraies racines. Celles qui poussent dans les étangs ou lacs, ou le long des berges varient en taille ; du minuscule potamot au cyprès géant. Certaines des plantes porteuses de graines (phanérogames) les plus communes des endroits humides sont étudiées aux pages 46 à 73.

TRÈFLE D'EAU. Fougère des eaux peu profondes dont les quatre folioles ressemblant au trèfle, sont habituellement flottantes, au bout des tiges effilées, à partir d'un rhizome rampant enraciné dans la boue. Les différences dans les sporanges qui se forment près de la base des feuilles sont pratiques pour identifier les espèces. *M. quadrifolie*, originaire d'Europe, pousse dans les États mais c'est une espèce de l'Ouest, de même que *M. macropoda* et *M. unicita*.

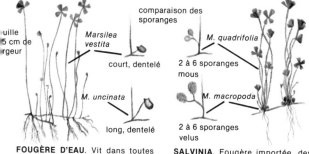

uille
5 cm de
rgeur

Marsilea vestita

court, dentelé

M. uncinata

long, dentelé

comparaison des sporanges

M. quadrifolia

2 à 6 sporanges mous

M. macropoda

2 à 6 sporanges velus

FOUGÈRE D'EAU. Vit dans toutes les eaux calmes d'un océan à l'autre. Feuilles lobées, écailleuses. Forme des enchevêtrements vert rougeâtre. Se reproduit par séparation.

SALVINIA. Fougère importée, des régions plus chaudes. Ses feuilles ont des enflures comme des pustules et des poils raides sur leur face supérieure. Les feuilles submergées ressemblent à des racines.

Azolla caroliniana

feuilles 7,5 mm

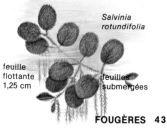

Salvinia rotundifolia

feuille flottante
1,25 cm

feuilles submergées

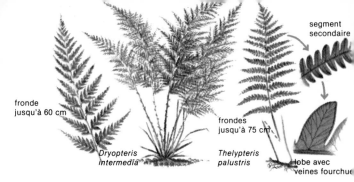

segment
secondaire

fronde
jusqu'à 60 cm

*Dryopteris
intermedia*

frondes
jusqu'à 75 cm

*Thelypteris
palustris*

lobe avec
veines fourchue

DRYOPTÉRIDE INTERMÉDIAIRE. Fougère fine toujours verte des forêts basses et humides et des marais. Pousse en touffe à partir du rhizome. La Dryoptéride spinuleuse, semblable et commune le long des étangs, pousse en courtes rangées. Les 2 atteignent 60 cm.

BOTRYCHE DE VIRGINIE. A des frondes fines triangulaires. Les sporanges, contenant des spores jaunes, sont portés par une tige séparée. Commune dans les terres humides et sur les rives des étangs forestiers, surtout dans les sols acides et ombragés. Atteint 60 cm, parfois davantage.

DRYOPTÉRIDE THÉLIPTÉRIDE, aux feuilles minces et délicates, atteignant env. 75 cm. Très sensible à la gelée. Commune du centre de l'Am. du Nord vers l'Est, surtout dans les prairies humides. Ses folioles, opposées à la base, deviennent alternes vers le bout.

OPHIOGLOSSE VULGAIRE, entre 10 et 40 cm de haut ; plante des champs humides et des berges des lacs partout en Am. du Nord. La feuille unique, en forme de cuiller, pousse à mi-chemin de la tige. L'épi fructifère se trouve au bout d'une mince tige dressée au-dessus de la feuille. Apparentée aux botryches.

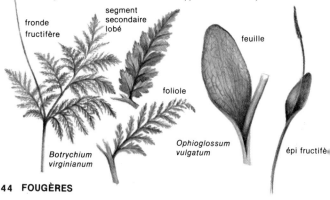

fronde
fructifère

segment
secondaire
lobé

foliole

feuille

*Botrychium
virginianum*

*Ophioglossum
vulgatum*

épi fructifè

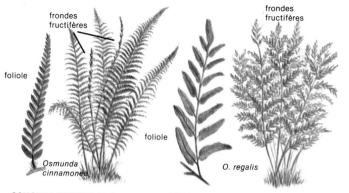

frondes fructifères

foliole

foliole

Osmunda cinnamonea

frondes fructifères

O. regalis

OSMONDE CANNELLE. Commune dans l'est de l'Am. du Nord, a d'étroites frondes stériles bisegmentées d'env. 1 m de haut. Les spores fructifères, apparaissant au début du printemps, sont d'abord vertes, puis d'un brun cannelle. La base des frondes végétatives est velue.

OSMONDE ROYALE. Se trouve largement du Mexique au Canada dans les sols humides, les marais et même les eaux peu profondes des étangs. Les feuilles bisegmentées peuvent atteindre 2 m de haut, se teminant par un panicule brun pâle.

WOODWARDIE DE VIRGINIE. Pousse dans les tourbières, marécages et terres humides acides du centre et de l'est de l'Am. du Nord. Les frondes, d'env. 1 m de haut, se dressent à partir d'un rhizome écailleux rampant. Des rangées doubles de sporanges se trouvent sur le revers des folioles.

MATTEUCCIE FOUGÈRE-À-L'AU-TRUCHE. Une des plus grandes fougères d'Am. du Nord, avec des frondes stériles atteignant 1,50 m. Les frondes fructifères, de 60 cm, sont foncées, dures et ressemblent à des cosses. Largement répandue au centre et à l'est de l'Am. du Nord dans les marécages et sur les rives des lacs.

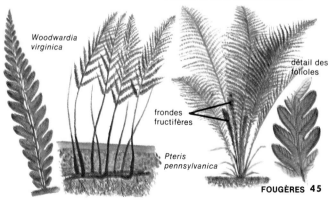

Woodwardia virginica

Pteris pennsylvanica

frondes fructifères

détail des folioles

FOUGÈRES 45

TYPHAS (quenouilles). Premières des plantes à fleurs traitées dans ce guide. Communes dans les mares, les fossés et le long des bas-fonds des lacs, étangs et cours d'eau lents. Les feuilles longues et affilées atteignent 2 à 2,5 m. La tige des fleurs, habituellement plus courte que les feuilles, porte les deux masses des parties de la fleur. Les typhas se propagent par leurs graines dispersées par le vent et aussi par leur rhizome féculent souterrain. On en compte douze espèces en Am. du Nord.

TYPHA A FEUILLES LARGES. Se trouve dans presque toute l'Am. du Nord. Le staminé terminal (partie mâle de la fleur) et le pistillé (partie femelle), sont contigus sur la quenouille. Tige robuste, feuilles aplaties.

TYPHA À FEUILLES ÉTROITES. Se trouve dans l'est de l'Am. du Nord, poussant autant en eau douce que saumâtre. Les parties mâle et femelle de la fleur sont généralement séparées sur l'épi. La tige est effilée et les feuilles arrondies.

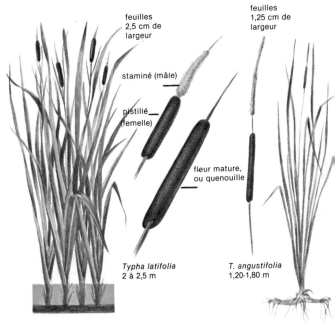

feuilles
2,5 cm de
largeur

feuilles
1,25 cm de
largeur

staminé (mâle)

pistillé
(femelle)

fleur mature,
ou quenouille

Typha latifolia
2 à 2,5 m

T. angustifolia
1,20-1,80 m

RUBANIERS. Poussent dans le sol humide ou les eaux peu profondes, habituellement avec les typhas. Ces deux plantes dominent fréquemment les bordures marécageuses des étangs. Le rubanier a de longues feuilles effilées. Les graines sont portées par des tiges séparées dans de denses amas ressemblant à des capsules épineuses. On en trouve env. 10 espèces en Am. du Nord, surtout dans les régions du Centre et du Nord. Les graines servent de nourriture aux oiseaux aquatiques ; les rats-musqués mangent feuilles et graines.

RUBANIER À GROS FRUITS. Entre 1 et 2 m de haut ; commun en Am. du Nord. Fleurit au début de l'été. Les gros capitules pistillés (fleurs femelles) sont situés au-dessous des capitules staminés (fleurs mâles) sur la même tige. Les feuilles flottent à la surface.

RUBANIER MULTIPÉDONCULÉ. Plus petit que le précédent ; commun à partir du nord des Rocheuses vers le Pacifique ; général dans le Québec. Des larves d'insectes et d'autres petits animaux vivent sur ses tiges submergées.

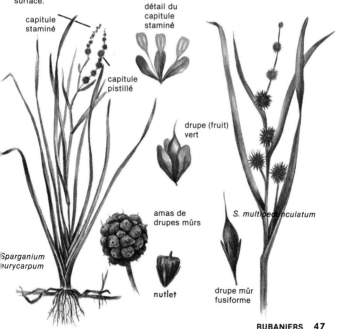

capitule staminé

détail du capitule staminé

capitule pistillé

drupe (fruit) vert

amas de drupes mûrs

S. multipedunculatum

Sparganium eurycarpum

nutlet

drupe mûr fusiforme

POTAMOTS. La plus grande famille des plantes à graines vraiment aquatiques. Ils sont persistants et poussent surtout en région froide. Plus de 60 espèces poussent dans les étangs et lacs d'eau douce et certaines même en eau saumâtre et salée. Plusieurs espèces de canards se nourrissent presque exclusivement de potamot. Ses denses pousses submergées procurent un abri aux poissons, colimaçons et autres animaux. Les potamots survivent en hiver grâce aux aliments emmagasinés dans leurs tiges enfouies et leurs racines tubéreuses qui se séparent et donnent naissance à de nouvelles plantes. En été, les fortes pousses de certains potamots peuvent nuire à la navigation, à la pêche et à la natation. La plupart des espèces d'eau douce ont une inflorescence en épi. Les feuilles sont habituellement alternes le long de la tige.

POTAMOT FEUILLÉ. Vit dans les étangs et cours d'eau limpides du nord de l'Am. du Nord. Ses feuilles, toutes submergées, sont minces et linéaires, avec l'épi floral dans l'aisselle. Fruit caréné.

POTAMOT DE BERCHTOLD. Commun au nord-est et au centre de l'Am. du Nord. Ses feuilles, tant flottantes que submergées, sont effilées.

POTAMOT CRISPÉ. Originaire d'Europe ; très répandu à l'est et au centre de l'Am. du Nord. Pousse dans les eaux limpides et polluées, parfois à une profondeur de 1,5 m. Ses feuilles ondulées et plutôt larges sont submergées ; alternes au bas de la tige, elles sont regroupées et opposées vers le sommet. Fruit crochu.

POTAMOT GRAMINOÏDE. Très répandu dans les eaux de l'Am. du Nord tempérée. Feuilles flottantes larges et plutôt elliptiques et feuilles submergées un peu plus étroites.

POTAMOT FLOTTANT. Pousse dans les eaux calmes partout en Am. du Nord. Feuilles flottantes largement arrondies et longues feuilles submergées en forme de ruban. Fruit presque dépourvu de carène.

POTAMOT PECTINÉ. Largement répandu en Am. du Nord dans les lacs et étangs à eau dure et saumâtre et dans les cours d'eau lents. Les tiges sont ramifiées et les feuilles effilées. Ses tubercules et ses graines étant très prisées des oiseaux aquatiques, on l'a largement implanté.

ZANNICHELLIE PALUSTRE. Se trouve dans les étangs, lacs, canaux et les eaux saumâtres d'un océan à l'autre. Contrairement aux potamots, ses feuilles effilées suivent une disposition opposée sur la tige effilée. Le fruit aplati, denté sur le rebord extérieur, sert parfois de nourriture aux oiseaux aquatiques.

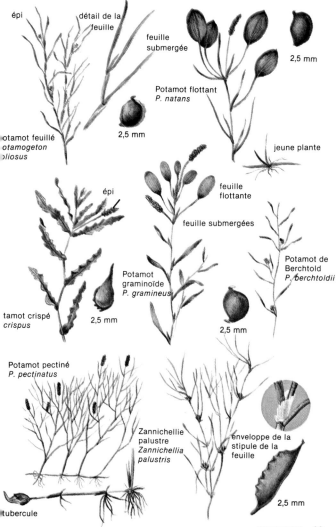

épi

détail de la feuille

feuille submergée

Potamot flottant
P. natans

2,5 mm

Potamot feuillé
Potamogeton foliosus

2,5 mm

jeune plante

épi

feuille flottante

feuille submergées

Potamot de Berchtold
P. berchtoldii

Potamot graminoïde
P. gramineus

Potamot crispé
crispus

2,5 mm

2,5 mm

Potamot pectiné
P. pectinatus

Zannichellie palustre
Zannichellia palustris

enveloppe de la stipule de la feuille

tubercule

2,5 mm

POTAMOTS 49

NAÏAS. Poussent submergées. Leurs feuilles effilées sont enflées à la base et verticillées le long des tiges. On en connaît environ 35 espèces dans les régions tempérées et tropicales, mais seulement 8 an Am. du Nord, et surtout dans l'Est. Les tiges, feuilles et graines sont une nourriture très prisée des canards. Ces plantes abritent de nombreux petits animaux aquatiques.

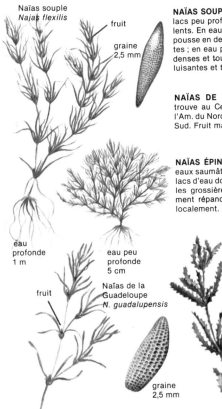

Naïas souple
Najas flexilis

fruit

graine
2,5 mm

NAÏAS SOUPLE. Commune dans les lacs peu profonds et les cours d'eau lents. En eau profonde (6 m ou plus), pousse en de longues tiges ondoyantes ; en eau peu profonde, elles sont denses et touffues. Les graines sont luisantes et tendres.

NAÏAS DE LA GUADELOUPE. Se trouve au Centre et au Nord-Est de l'Am. du Nord, plus commune dans le Sud. Fruit mat et fortement réticulé.

NAÏAS ÉPINEUSE. Pousse dans les eaux saumâtres et dans les étangs et lacs d'eau douce peu profonds. Feuilles grossièrement dentelées. Largement répandue, mais n'abonde que localement. Graines larges.

graine 2,5 mm

eau
profonde
1 m

eau peu
profonde
5 cm

Naïas de la
Guadeloupe
N. guadalupensis

fruit

feuille
épineuse

fruit

Naïas épineuse
N. marina

graine
2,5 mm

ALISMATACÉES, comprennent les plantains d'eau et les sagittaires, lesquelles ont habituellement des tubercules comestibles. Les feuilles se dressent en rosette à partir d'une tige de base et peuvent être en forme d'oeuf, effilées ou en forme de flèche. Les fleurs, à 3 pétales, se trouvent au bout de longues tiges effilées. Env. 50 espèces en Am. du Nord. Certaines sont émergentes ; d'autres poussent submergées en eau peu profonde.

ALISMA COMMUN (Plantain d'eau). Pousse dans les endroits humides à partir du Canada vers le Sud. Feuilles largement ovées aux veines grossières. Fleurs rosâtres ou blanches au bout de tiges rigides se dressant au-dessus des feuilles.

SAGITTAIRE LATIFOLIÉE. Pousse sur les rivages peu profonds de toutes les eaux calmes en Am. du Nord, sauf dans le Sud-Ouest. La longueur et la forme des feuilles varient avec la profondeur de l'eau. Largement implantée ; ses épais tubercules sont très prisés des oiseaux aquatiques.

SAGITTAIRE GRAMINOÏDE. Commune dans les étangs et le long des cours d'eau de l'est de l'Am. du Nord. Feuilles larges en eau peu profonde, étroites en eau profonde.

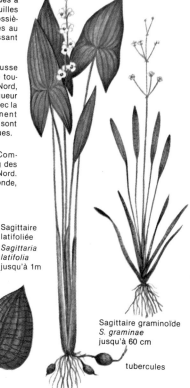

Sagittaire latifoliée
Sagittaria latifolia
jusqu'à 1m

Sagittaire graminoïde
S. graminae
jusqu'à 60 cm

tubercules

jusqu'à 60 cm
ma commun
ma plantago-aquatica

GRAMINÉES, ne comptent que quelques espèces aquatiques, difficiles à identifier. Leurs feuilles (glumes) sur 2 rangs (2 rangs par tige) et à veines parallèles ont une gaine encerclant lâchement les tiges cylindriques et creuses. Fleurs en épillets.

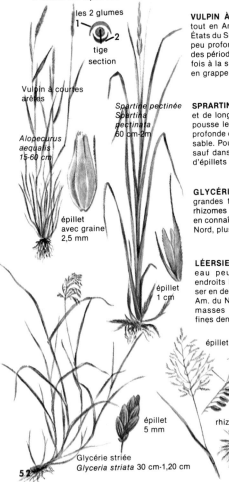

les 2 glumes
1
2
tige
section

Vulpin à courtes arêtes

Alopecurus aequalis 15-60 cm

épillet avec graine 2,5 mm

Spartine pectinée Spartina pectinata 60 cm-2m

épillet 1 cm

épillet 5 mm

Glycérie striée Glyceria striata 30 cm-1,20 cm

épillet

rhizome

Léersie faux-riz Leersia oryzoia 60 cm-1,20 m

VULPIN À COURTES ARÊTES. Partout en Am. du Nord, sauf dans les États du Sud, pousse dans les étangs peu profonds, fossés ou lieux humides périodiquement secs. Traîne parfois à la surface des étangs. Épillets en grappe mince et dense.

SPRARTINE PECTINÉE. Tiges droites et de longues et fortes feuilles. Elle pousse le long des lacs en eau peu profonde où ses racines retiennent le sable. Pousse aussi dans les marais sauf dans le Sud-Est. Deux rangées d'épillets forment un épi au sommet.

GLYCÉRIES. Plantes vivaces aux grandes tiges poussant à partir de rhizomes ou de tiges enracinées. On en connaît env. 10 espèces en Am. du Nord, plus abondantes dans l'Est.

LÉERSIE FAUX-RIZ. Commune en eau peu profonde et dans les endroits humides où elle peut pousser en denses colonies. Répandue en Am. du Nord. Grappes de graines en masses plumeuses et feuilles en fines dents de scie.

ROSEAU COMMUN. Longues feuilles aplaties, épillets pluriflores en forme de plumet et tiges rigides. Le long des lacs et étangs, sauf dans le Sud-Est des É.U.

ZIZANIE AQUATIQUE. Graminée indigène poussant en eau peu profonde, dans le centre-nord de l'Am. du N., le long du St-laurent, moins abondamment dans l'Est et le Sud des É.U. Nourriture de choix des oiseaux aquatiques.

PHALARIS ROSEAU. Pousse dans les endroits humides et le long des cours d'eau de l'Am. du N., sauf dans le Sud-Est. Feuilles en lames aplaties, tiges dressées. Deux autres esp. de ce genre sont terrestres.

CALAMOGROSTIS DU CANADA. La seule aquatique de ce genre parmi les quelques 20 esp. de l'Am. du Nord. Habite les berges et autres terres humides du Groenland à l'Alaska jusqu'au nord des É.U.

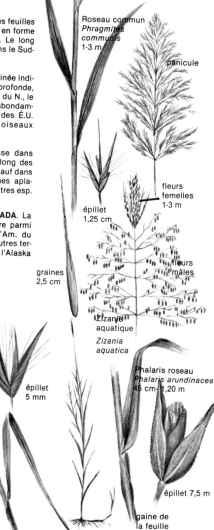

Roseau commun
Phragmites communis
1-3 m

panicule

fleurs femelles
1-3 m

épillet
1,25 cm

fleurs mâles

graines
2,5 cm

Zizanie aquatique
Zizania aquatica

épillet
5 mm

5 cm-1 cm

rhizome

Calamagrostis du Canada
Calamagrostis canadensis

Phalaris roseau
Phalaris arundinacea
45 cm-1,20 m

épillet 7,5 m

gaine de la feuille

GRAMINÉES 53

CYPÉRACÉES. Plantes herbacées ressemblant aux graminées, à feuilles sur 3 rangs (3 rangs par tige). La gaine à la base de chaque feuille pousse serrée autour d'une tige solide triangulaire. Plusieurs des quelque 3 000 espèces de cette famille poussent dans l'eau ou les terres humides.

RHYNCHOSPORES (env. 200 esp.). Vivaces, poussant surtout en région chaude. L'espèce illustrée est commune dans le Centre-Nord et l'Est ; plus rare dans le Nord-Ouest. Les canards sont friands des achaines.

CAREX (env. 1 000 esp.). Largement répandu dans les eaux calmes, marais et prairies humides des régions tempérées. Les amas de graines ou achaines, poussent près des tiges triangulaires.

SCIRPE D'AMÉRIQUE, une des quelque 150 scirpes. Épis contenant beaucoup de graines et courtes feuilles se dressant près de la base de la tige. Pousse dans les eaux peu profondes, côtières et intérieures.

DULICHIUM ROSEAU. Courtes feuilles et une tige creuse. Pousse dans les marais et le long des berges marécageuses des eaux calmes de la côte est, dans les États du Nord vers le Nord, jusqu'à la côte du Pacifique.

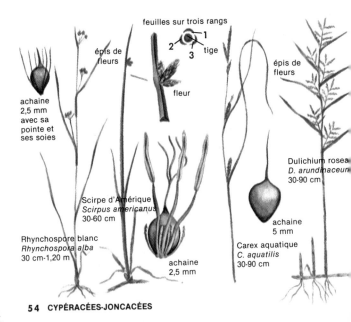

feuilles sur trois rangs

épis de fleurs

tige

fleur

épis de fleurs

achaine 2,5 mm avec sa pointe et ses soies

Dulichium roseau
D. arundinaceum
30-90 cm

Scirpe d'Amérique
Scirpus americanus
30-60 cm

achaine 5 mm

Rhynchospore blanc
Rhynchospora alba
30 cm-1,20 m

Carex aquatique
C. aquatilis
30-90 cm

achaine 2,5 mm

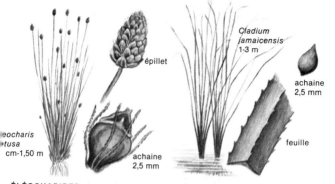

Cladium jamaicensis 1-3 m

épillet

achaine 2,5 mm

eocharis tusa cm-1,50 m

achaine 2,5 mm

feuille

ÉLÉOCHARIDES. (env. 150 esp.) Communs dans les marais et le long des berges. Tiges presque sans feuilles et épillets dressés en bouquets à partir des tubercules. Le tubercule de l'*Eleocharis tuberosa*, originaire de Chine, est comestible.

CLADIUM. Atteint env. 3 m, pousse en eau douce et saumâtre des terres humides de la côte du Sud-Est, y compris le golfe du Mexique. Caractéristique des Everglades de la Floride. Feuilles à bords aigus et épineux.

JONCACÉES. Plantes émergentes à feuilles aplaties et souvent creuses. Tiges également creuses ou remplies de moelle. Fleurs en grappes près du bout de la tige. Communes en eau douce peu profonde et dans les marais salants. Genre comprenant env. 200 esp. difficiles à distinguer.

JONC ACUMINÉ. Feuilles cylindriques et graine mucronée. Largement répandu dans l'est de l'Am. du Nord.

JONC MARGINÉ. Dans les bas-fonds et le long des berges au centre et à l'est de l'Am. du Nord. Rhizome fort et noir.

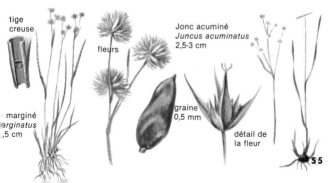

tige creuse

fleurs

Jonc acuminé *Juncus acuminatus* 2,5-3 cm

marginé *arginatus* ,5 cm

graine 0,5 mm

détail de la fleur

ARACÉES. Env. 1 500 esp. Plantes des sols humides des régions tropicales et tempérées. Le Chou puant, le Petit prêcheur et la Colocase, d'une certaine importance économique, sont des Aracées. Les Aracées ont de petites fleurs en grappes serrées au bout d'une tige en épi. Les feuilles sont grandes et à nervures nettement marquées. Les tiges sont épaisses ; les racines, tubéreuses.

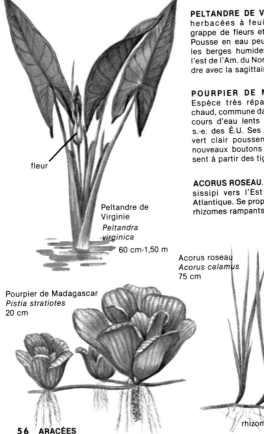

PELTANDRE DE VIRGINE. Plantes herbacées à feuilles sagittées, grappe de fleurs et fruits verdâtres. Pousse en eau peu profonde et sur les berges humides au centre et à l'est de l'Am. du Nord. Ne pas confondre avec la sagittaire.

POURPIER DE MADAGASCAR. Espèce très répandue en climat chaud, commune dans les fossés, les cours d'eau lents et les étangs du s.-e. des É.U. Ses feuilles charnues vert clair poussent en rosette. De nouveaux boutons de plantes poussent à partir des tiges basales.

ACORUS ROSEAU. Du bassin du Mississipi vers l'Est jusqu'à la côte Atlantique. Se propage par ses longs rhizomes rampants.

fleur

Peltandre de Virginie
Peltandra virginica
60 cm-1,50 m

Acorus roseau
Acorus calamus
75 cm

Pourpier de Madagascar
Pistia stratiotes
20 cm

rhizome

LEMNACÉES. Minuscule plantes flottantes, très prisée des oiseaux aquatiques. Env. 25 espèces. Des fleurs minuscules, rarement formées, poussent sur le bord de la lame verte, dépourvue de vraies feuilles et de tiges. Leur reproduction est princ. végétative, par une division du corps de la plante.

SPIRODÈLES. Ont plusieurs radicelles sous le thalle (corps de la plante), souvent violacé dessous. Poussent en colonies flottantes sur la surface des eaux calmes et les cours d'eau paresseux partout en Am. du Nord.

LENTICULE MINEURE. N'a qu'une radicelle sous le thalle. Commune en colonies flottante sur la surface des étangs et cours d'eau lents, presque partout en Am. du Nord.

LENTICULES TRISULQUÉES. Thalles en forme de feuille réunis, formant un tapis en forme de treillis à la surface ou juste en dessous. Parfois dépourvues de racines. Communes en Am. du Nord, sauf dans le Sud.

WOLFFIA. Thalle globuleux dépourvu de racines. C'est la plus petite phanérogame. Croît souvent avec la fougère d'eau (p. 43) et la lenticule mineure dans les eaux calmes ; de la vallée du Mississipi vers l'Est.

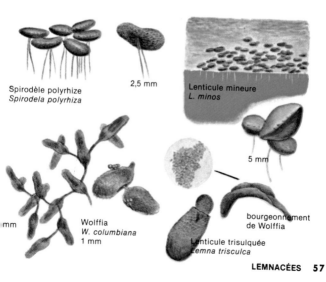

Spirodèle polyrhize
Spirodela polyrhiza

2,5 mm

Lenticule mineure
L. minos

5 mm

Wolffia
W. columbiana
1 mm

bourgeonnement
de Wolffia

Lenticule trisulquée
Lemna trisculca

mm

PONTÉDÉRIACÉES. Forment une famille variée princ. en région chaude. Certaines ont des feuilles larges flottant librement ; d'autres des feuilles effilées poussant enracinées dans la boue, soit submergées, soit émergentes. Les fleurs sont voyantes. Généralement les premières plantes sur la nouvelle terre lorsqu'un étang se remplit de sédiments.

HÉTÉRANTHÈRE LITIGIEUSE. Supporte mieux le froid que les autres pontédériacées. Pousse dans les étangs peu profonds et les cours d'eau lents le long du Pacifique, dans le centre et l'est de l'Am. du N. Floraison, été et automne.

PONTÉDÉRIE CORDÉE. Pousse en eau peu profonde et le long des rivages boueux, du Mississipi vers l'Est, jusqu'en N.-Écosse. Inflorescence en épi. Certaines espèces diffèrent par la forme des feuilles. Une esp. a des fleurs blanches.

JACINTHE D'EAU. Introduite d'Am. du Sud. Plante flottante à larges feuilles et tiges enflées, remplies d'air. Les fleurs bleues ou blanches poussent en épis dressés. Commun dans les cours d'eau et eaux tranquilles du Sud. Racines denses et plumeuses abritant une riche association de petits animaux ; larges feuilles ombrageant les plantes et animaux du fond. Ses denses poussées peuvent obstruer un cours d'eau.

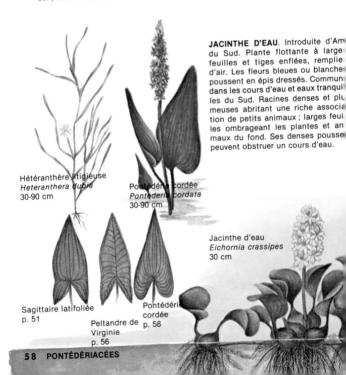

Hétéranthère litigieuse
Heteranthera dubia
30-90 cm

Pontédérie cordée
Pontederia cordata
30-90 cm

Jacinthe d'eau
Eichornia crassipes
30 cm

Sagittaire latifoliée
p. 51

Peltandre de Virginie
p. 56

Pontédérie cordée
p. 58

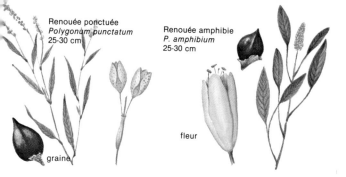

Renouée ponctuée
Polygonum punctatum
25-30 cm

graine

Renouée amphibie
P. amphibium
25-30 cm

fleur

RENOUÉES. Env. 250 espèces dont seulement quelques-unes aquatiques en Am. du Nord.

RENOUÉE PONCTUÉE. Espèce largement répandue, à feuilles lustrées et grappes de fleurs d'un blanc verdâtre le long de tiges effilées.

RENOUÉE AMPHIBIE. Nord des É.U. et sud du Canada. Grappes de fleurs roses. Les animaux sauvages se nourrissent des graines des 2 esp.

HYDROCHARITACÉES. Feuilles verticillées qui émergent en grappes du rhizome.

ÉLODÉE DU CANADA. Commune dans beaucoup d'étangs et cours d'eau paresseux du Québec, du Nord-Est et du Midwest des É.U. Forme hab. de denses masses. Une esp. apparentée, introduite d'Am. du Sud, est employée dans les aquariums.

LIMNOBIUM SPONGIA. Princ. dans les eaux tranquilles, à fond boueux du Sud-Est et de la vallée du Mississipi. Plante flottante ou enracinée.

VALISNÉRIE AMÉRICAINE. Dans l'est de l'Am. du Nord. Ses tiges épaisses et charnues sont très prisées des animaux aquatiques. Après pollinisation de la fleur flottante, une tige filamenteuse la tire sous l'eau où le fruit mûrit.

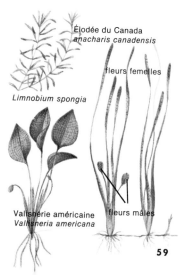

Élodée du Canada
anacharis canadensis

fleurs femelles

Limnobium spongia

Valisnérie américaine
Valisneria americana

fleurs mâles

NYMPHÉACÉES. Plus de 100 espèces, communes dans les étangs peu profonds et rivières lentes, des tropiques jusqu'aux régions tempérées. Poussent à partir d'un épais rhizome ramifié. Certaines sont petites, mais à voyantes fleurs roses, jaunes ou blanches et grandes feuilles plates flottantes pouvant recouvrir la surface d'un étang. Plusieurs petits animaux pondent sur les feuilles et tiges des nymphéacées.

BRASÉNIE DE SCHREBER. Commune au centre et à l'est de l'Am. du Nord ; a de petites feuilles flottantes, tiges et dessous des feuilles ont un enduit gélatineux. Les canards s'en nourrissent.

NÉNUPHAR À FLEURS PANACHÉES (Pied-de-cheval). Commun partout au centre et à l'est de l'Am. du Nord, dans les fonds boueux des étangs et cours d'eau, souvent avec le Nymphéa tubéreux. Le rhizome est fort. Les feuilles encochées sont rondes ou en forme de coeur.

NYMPHÉA TUBÉREUX. Vit dans les cours d'eau, étangs et lacs de la vallée du Mississipi, dans la région des Grands Lacs, l'ouest du Québec. Le dessous de ses feuilles n'est pas violacé. Les fleurs inodores s'ouvrent le matin et se ferment hab. au milieu de l'après-midi. Les animaux sauvages se nourrissent de son rhizome et de ses graines.

NÉNUPHAR À PETITES FEUILLES. Pousse dans la région des Grands Lacs et en N.-Angl., en eau plus profonde que la plupart des autres nénuphars. Plus commun dans les lacs que dans les étangs. Fleurs attrayantes d'env. 3 cm de diamètre.

LOTUS. Commun dans l'est de l'Am. du Nord ; larges feuilles et grosses fleurs jaunes. Ses longues tiges se ramifient à partir d'épaisses racines tubéreuses. Les Amérindiens en consommaient les graines et les tubercules.

NYMPHÉA ODORANT. Grandes feuilles rondes et encochées, vert foncé dessus et rouge pourpré dessous. Les fleurs, roses ou blanches, ont un riche et doux parfum. Habitat plus vaste que le Nymphéa tubéreux.

CABOMBA DE CAROLINE. Tige effilée recouverte de limon gélatineux. Ses fleurs blanchâtres ou jaunâtres sont petites. De la vallée du Mississipi vers l'Est. Ses pousses denses abritent beaucoup de petits animaux. Plante populaire pour les aquariums.

NÉNUPHAR POLYSÉPALE. Vit dans les étangs, cours d'eau à débit lent et lacs peu profonds ; des Rocheuses jusqu'au nord de la Californie. Cette espèce a 9 sépales entourant ses pétales ; la plupart des Nymphéacées n'en ont que 6.

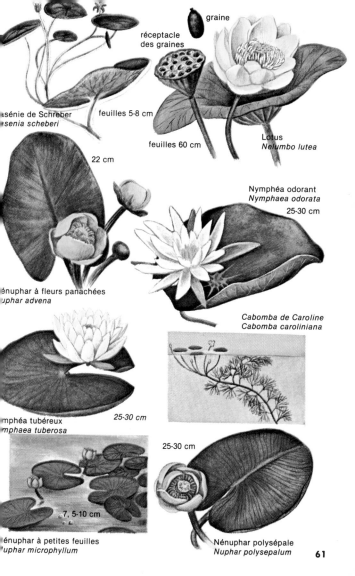

graine

réceptacle
des graines

Brasénie de Schreber
Brasenia scheberi

feuilles 5-8 cm

feuilles 60 cm

Lotus
Nelumbo lutea

22 cm

Nymphéa odorant
Nymphaea odorata
25-30 cm

Nénuphar à fleurs panachées
Nuphar advena

Cabomba de Caroline
Cabomba caroliniana

Nymphéa tubéreux
Nymphaea tuberosa

25-30 cm

25-30 cm

7, 5-10 cm

Nénuphar à petites feuilles
Nuphar microphyllum

Nénuphar polysépale
Nuphar polysepalum

61

D'AUTRES PLANTES D'ÉTANG ET DE RIVAGE, représentant plus d'une douzaine de familles distinctes, varient en taille, couleur et forme, mais contribuent aussi à la richesse des bas-fonds et des rivages des étangs et lacs. Les plantes de rivage servent d'abri et de lieu de nidification aux mammifères, oiseaux, reptiles et à de nombreuses espèces d'insectes. Seules quelques-unes de ces plantes herbacées et ligneuses sont illustrées ici.

Cresson
officinal
*Nasturtium
officinale*

30 cm

Salicorne
*Salicornia
rubra*
20-30 cm

45-60 cm
Alternanthère
*Alternanthera
philoxeroides*

inflorescence
en épi

CRESSON OFFICINAL (fam. des Crucifères) fut introduit d'Europe. Pousse dans les étangs et cours d'eau froids, alimentés par des sources, formant souvent de denses tapis. Ses tiges étalées s'enracinent là où elles touchent la boue. Feuilles composées à 3-11 segments arrondis, les plus grosses étant au bout. Les graines sont contenues dans de minces cosses. Employé en salades ou comme garniture.

ALTERNANTHÈRE. Plante basse et rampante des étangs et des fossés du sud-est des É.-U. : En Louisiane, elle obstrue les bayous, rendant difficile la navigation. Tiges rampantes, prenant souvent racine aux nœuds. Les feuilles lancéolées sont opposées. Les fleurs sont en grappes ou en têtes petites et denses.

SALICORNES. Plantes des eaux saumâtres côtières, des lacs et étangs alcalins de l'intérieur. Une espèce croît dans les salants et le long des étangs dans les Rocheuses. Les feuilles sont petites et en forme d'écailles ; les tiges tendres et jointes ; les branches opposées ; les petites fleurs enchâssées dans des tiges épaisses.

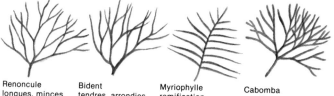

Renoncule
longues, minces
pointues

Bident
tendres, arrondies
bouts pointus

Myriophylle
ramification
simple,
segments alternes

Cabomba
ramifications
multiples
bout arrondi

COMPARAISON DE PLANTES AUX FEUILLES FINEMENT RAMIFIÉES

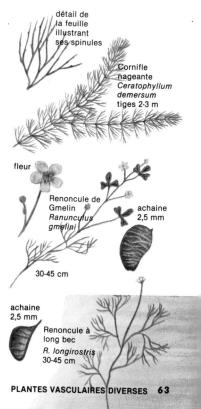

détail de
la feuille
illustrant
ses spinules

Cornifle
nageante
*Ceratophyllum
demersum*
tiges 2-3 m

fleur

Renoncule de
Gmelin
*Ranunculus
gmelini*

achaine
2,5 mm

30-45 cm

achaine
2,5 mm

Renoncule à
long bec
R. longirostris
30-45 cm

CORNIFLE NAGEANTE. Pousse sous la surface en eau calme partout en Am. du N. Feuilles ramifiées, cassantes et serrées vers le bout, en verticilles autour d'une tige effilée. La pollinisation des fleurs se fait sous l'eau. Les graines, prisées des oiseaux aquatiques, ont une enveloppe dure.

RENONCULE DE GMELIN. Un des boutons d'or aquatiques, poussant dans les endroits boueux ou les étangs temporaires dans les parties plus froides de l'Am. du N. Ses feuilles flottantes sont larges et trilobées ; ses feuilles submergées sont finalement ramifiées. Les animaux sauvages mangent ses achaines et ses feuilles.

RENONCULE À LONG BEC. Également un bouton d'or, commun en Am. du N., sauf dans les États du Sud. Pousse dans les étangs et cours d'eau peu profonds, ses faibles tiges flexibles formant parfois d'épais tapis. Ses feuilles finement ramifiées sont hab. submergées. Achaine muni d'un bec ; petites fleurs blanches émergentes.

Proserpinie
des marais
*Proserpinaca
palustris*
25-30 cm

fleur

60 cm

Éryngion
aquatique
*Eryngium
aquaticum*

Utriculaire vulgaire
Utricularia vulgaris

utricule

1-2 m

Cicutaire
maculée
*Cicuta
maculata*

1,20 m
Iris versicolore
Iris versicolor

PROSERPINIE DES MARAIS (fam. des Haloragacées). Commune dans les eaux calmes de l'est de l'Am. du N. Seules les feuilles à la base de la tige sont dentelées ; Trois espèces.

ÉRYNGION AQUATIQUE. Plante apparentée à la Berle douce ; pousse le long des rivages, du New Jersey vers le Sud le long de l'Atlantique et du golfe du Mexique. Fleurs en têtes denses.

UTRICULAIRES (fam. des Lentibulariacées). Plus abondantes dans les eaux tropicales, mais env. 12 espèces poussent dans le centre de l'est de l'Am. du N. Certaines ont sur leurs branches de petits utricules dans lesquels de petits animaux sont pris au piège.

CICUTAIRE MACULÉE, Carotte à Moreau, (fam. des Ombellifères). Pousse dans les sols humides partout en Am. du N. Floraison de juin à septembre ; nombreuses fleurs blanches réunies en une tête dense. Ses racines, à l'aspect de patates douces et à l'odeur du panais, sont toxiques, de même que ses tiges.

IRIS VERSICOLORE. Pousse dans les terres humides et le long des rivages au centre et à l'est de l'Am. du N. Les sépales de la fleur voyante hab. bleu violet sont plus gros que les pétales. Floraison en mai et juin. Les fleurs ont 10 cm de largeur.

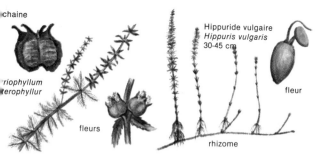

chaine

Myriophyllum
terophyllur

fleurs

Hippuride vulgaire
Hippuris vulgaris
30-45 cm

fleur

rhizome

MYRIOPHYLLE (fam. des Haloragacées). Largement répandu dans les eaux calmes et les cours d'eau lents de l'Am. du Nord. Ses petites fleurs violacées poussent près du bout des tiges où les feuilles peuvent varier de taille et de forme avec celles de la base.

HIPPURIDE VULGAIRE (fam. des Haloragacées). Pousse partiellement submergé ou en terre marécageuse du centre de l'Am. du N. Courtes feuilles en verticilles de 6 à 12, rigides lorsqu'émergées, molles si elles sont submergées. Se propage par le rhizome.

ROSSOLIS À FEUILLES RONDES. Plante basse des tourbières et endroits humides partout en Am. du N. Les insectes sont attirés et capturés par le liquide sucré et collant sécrété par la rosette des feuilles hérissées de poils et aplaties.

SARRACÉNIE POURPRE. Feuilles creuses, en forme de cruche ou de trompette et contenant un liquide composé d'eau de pluie et d'un fluide de la plante. Les insectes sont noyés dans ce liquide et absorbés (« digérés ») par la plante. Pousse dans les tourbières et les sols humides de l'est de l'Am. du N. et en Calif.

LOBÉLIE DE DORTMANN. La seule lobélie strictement aquatique ; a un jus laiteux et des fleurs tibulaires violet pâle à bout flamboyant, émergées ou submergées. Les feuilles forment une rosette. Centre de l'Am. du N.

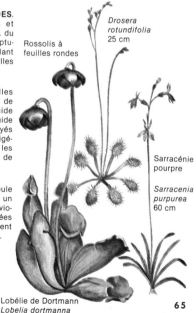

Rossolis à feuilles rondes

Drosera rotundifolia
25 cm

Sarracénie pourpre

Sarracenia purpurea
60 cm

Lobélie de Dortmann
Lobelia dortmanna

65

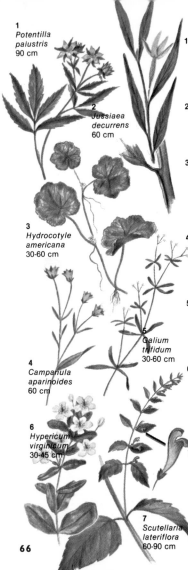

1
*Potentilla
palustris*
90 cm

2
*Jussiaea
decurrens*
60 cm

3
*Hydrocotyle
americana*
30-60 cm

5
*Galium
trifidum*
30-60 cm

4
*Campanula
aparinoides*
60 cm

6
*Hypericum
virginicum*
30-45 cm

7
*Scutellaria
lateriflora*
60-90 cm

1 **POTENTILLE PALUSTRE**. Le seul membre de la fam. des Rosacées poussant dans les terres humides ; partout au centre et au nord de l'Am. du N. surtout dans les tourbières

2 **JUSSIÉES** (fam. des Onagracées). Poussent princ. sous les tropiques. On en trouve plusieurs espèces dans les États du Sud. Feuilles ailées à la tige.

3 **HYDROCOTYLE D'AMÉRIQUE**. (fam. des Ombellifères). Largement répandue, poussant dans l'eau ou les endroits humides. Forme souvent de denses tapis le long des rives. Fleurs minuscules aux noeuds des feuilles arrondies.

4 **CAMPANULE FAUX-GAILLET** (fam. des Campanulacées). Pousse sur les rivages et les prairies humides au centre et à l'est de l'Am. du N. Floraison de juin à août. Tiges submergées faibles ; feuilles courtes.

5 **GAILLET TRIFIDE**. Herbe basse de la fam. des Rubiacées. S'amoncelle souvent le long des rives un peu partout en Am. du N. Floraison de juin à septembre. Tiges carrées, feuilles verticillées.

6 **MILLEPERTUIS DE VIRGINIE**. Une des quelque 15 esp. de millepertuis d'Am. du N. poussant dans les terres humides. La plupart ont des feuilles jaunes ; quelques-unes, violacées. Floraison de juin à octobre. Les feuilles émergentes peuvent être piquetées.

7 **SCUTELLAIRE LATÉRIFLORE**, (fam. des Labiées). Une des 6 esp. très apparentées, communes dans les terres humides d'Am. du N. La plupart ont des feuilles bleues ou violettes. Se propagent par ses tiges submergées.

1 LYSIMAQUE TERRESTRE (fam. des Primulacées). Originaire de l'est de l'Am. du N. commune partout au Québec. Introduite dans les États du Centre et de l'Ouest. Feuilles opposées, mais semblent verticillées.

2 LUDWIGIE PALUSTRE (fam. des Onagracées). Commune dans l'est de l'Am. du N., en tapis flottants dans les étangs et sur les berges humides. Feuilles opposées.

3 DÉCODON VERTICILLÉ (fam. des Lythracées). Pousse partout dans l'est de l'Am. du N. Feuilles verticillées, sessiles. Les canards se nourrissent de ses graines, et les rats musqués mangent ses épaisses tiges submergées.

4 CALLITRICHE HÉTÉROPHYLLE. Petite plante aux tiges effilées et feuilles spatulées qui forme des amas flottants, dans les étangs peu profonds et les cours d'eau à débit lent partout en Am. du N.

5 BIDENT DE BECK (fam. des Composées). Fleurs jaune clair ; feuilles submergées finement ramifiées, et les feuilles émergentes, profondément encochées. Pousse dans les eaux calmes du centre de l'Am. du N.

6 BERLE DOUCE (fam. des Ombellifères). Pousse dans les étangs, lacs et marais partout en Am. du N., sauf dans le Sud-Ouest. Inflorescence en grappes d'ombelles blanches. Fruit à côtes subéreuses.

7 GRATIOLE NÉGLIGÉE (fam. des Scrophulariacées). Pousse dans les endroits humides et étangs temporaires dans presque toute l'Am. du N. Fleurs blanches, jaunes ou bleuâtres ; feuilles opposées et dépourvues de tige.

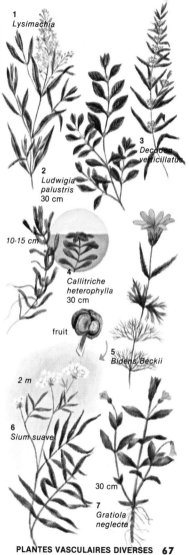

1
Lysimachia

3
Décodon verticillatus

2
Ludwigia palustris
30 cm

10-15 cm

4
Callitriche heterophylla
30 cm

fruit

5
Bidens Beckii

2 m

6
Sium suave

30 cm

7
Gratiola neglecta

PLANTES VASCULAIRES DIVERSES 67

PLANTES LIGNEUSES (arbres, arbustes et plantes grimpantes). Plusieurs espèces croissent le long des rivages et dans les terres humides. Aucune n'est vraiment aquatique, mais chez quelques groupes, presque toutes les espèces ne vivent que dans les sols humides. Les plus remarquables parmi celles-ci sont les Saules. D'autres comme les Pins, les Chênes, les Bouleaux, les Aubépines, les Ormes et les Érables comptent de une à plusieurs espèces communes dans les endroits humides. Seules quelques espèces sont illustrés ici.

SAULES. Plus de 100 esp. en Am. du N., comprenant des arbustes et des gros arbres. Tous, sauf quelques espèces, poussent dans les sols humides. Tous les Saules ont des feuilles alternes, étroites et pointues. Les fleurs mâles et femelles (chatons) sont produites par des plantes séparées. Le Saule noir, arbuste ou gros arbre, pousse le long des berges, et parfois même en eau peu profonde ; de l'est du Canada jusqu'aux Dakotas, vers le Sud, jusqu'au golfe du Mexique.

PEUPLIERS ET TREMBLES. De la même fam. que les Saules (Salicacées) ; ont de larges feuilles cordiformes et des chatons pendant davantage que ceux des Saules. Les graines minuscules sont munies de poils soyeux qui les transportent dans le vent. La plupart des Peupliers et des Trembles poussent en sol sec, mais quelques-uns sont communs le long des berges et dans les terres humides, dont le Peuplier de Virginie, de l'ouest de l'Am. du N. et les Peupliers à feuilles deltoïdes et baumier, du centre et de l'est de l'Am. du N.

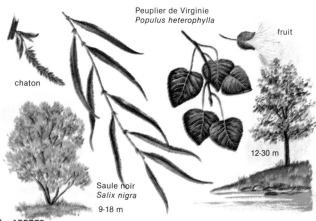

chaton

Peuplier de Virginie
Populus heterophylla

fruit

Saule noir
Salix nigra
9-18 m

12-30 m

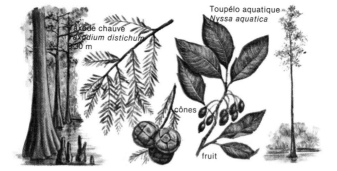

Toupélo aquatique
Nyssa aquatica

Taxode chauve
Taxodium distichum
≈30 m

cônes

fruit

TAXODES. Conifères à feuilles caduques poussant dans les marécages et les terres humides du sud-est des É.U. et le Sud de la vallée du Mississipi. Remarquez l'extension des racines et le renflement de la base du tronc du Taxode chauve. Le Cyprès des marais est plus petit avec des feuilles en forme d'écailles.

PLATANES. Vivent dans les terres basses humides et le long des rivages. Le Platane d'Occident est largement répandu dans l'est des É.U. ; 2 autres esp. nord-américaines poussent dans le Sud-Ouest. Les graines se développent en têtes globuleuses ; l'écorce se détache en plaques poilues.

TOUPÉLOS. Poussent autant dans les sols humides que secs ; mais le Toupélo aquatique est typique des marécages côtiers et des terres humides du sud-est des É.U. La base de son tronc est souvent renflée. Le Toupélo sylvestre vivant plus au nord, est plus petit et moins commun dans les terres humides.

CHÊNES (env. 50 esp. en Am. du N., princ. des arbres des terres hautes ; quelques-uns poussent dans les sols humides. Tous produisent des glands. Les feuilles sont fortes, alternes et de formes variées. Le Chêne d'eau est commun dans le Sud-Est. Les autres sont les Chênes à feuilles lyrées, bicolore, des marécages.

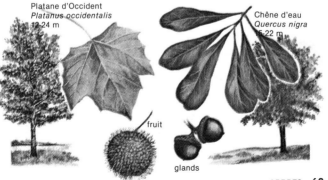

Platane d'Occident
Platanus occidentalis
12-24 m

fruit

Chêne d'eau
Quercus nigra
15-22 m

glands

Frêne rouge
Fraxinus pennsylvanica
8-12 m

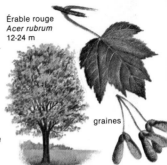

Érable rouge
Acer rubrum
12-24 m

graines

FRÊNES. Hab. dans les terres basses humides et le long des rivages dans l'Est. Env. 20 esp. en Am. du N. ; feuilles composées, opposées ; épaisses brindilles et graines (samares) à une seule aile. Plus largement répandus dans les terres humides sont le Frêne rouge et le Frêne noir.

ÉRABLES (13 esp. en Am. du N.). Croissent sur les buttes sèches et dans les terres basses humides. Dans l'Est, deux esp. — rouge et argenté — sont caractéristiques des terres humides. Les érables ont des feuilles simples, palmées — lobées ; fruits (disamares) à 2 graines ailées.

BOULEAUX. Env. 15 esp. en Am. du N., princ. en régions froides. Deux esp. sont communes dans les terres humides : le Bouleau noir qu'on trouve vers le Sud jusqu'en Floride et au Texas, et le Bouleau fontinal, arbrisseau croissant dans les Rocheuses. L'écorce des Bouleaux est papyracée et se détache en minces feuillets. Le Bouleau bleu, est un

petit arbre au tronc vigoureux et écorce gris bleu ; pousse le long des cours d'eau et dans les sols humides. Les Aulnes (10 esp. nord-amér., fam. des Bétulacées), poussent communément princ. dans l'Ouest, en fourrés denses. L'Aulne rugueux est une esp. des terres humides de l'Est ; l'Aulne rouge pousse dans l'Ouest.

Bouleau noir
Betula nigra
15-22 m

Aulne rouge
Alnus rubra
6-18 m

chat

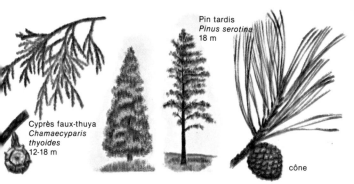

Pin tardis
Pinus serotina
18 m

Cyprès faux-thuya
Chamaecyparis thyoides
12-18 m

cône

CYPRÈS FAUX-THUYA. Arbre odorant à feuilles persistantes, écailleuses et à petits cônes charnus. Croît hab. dans les marécages et fondrières du Sud, mais on le rencontre vers le Nord jusqu'au Maine. Deux autres espèces d'arbres toujours verts (Thuyas), poussent dans le Nord.

PIN TARDIF. Pousse le long des étangs et dans les marécages du New Jersey vers le Sud. Aiguilles en faisceaux de 3 et cônes arrondis. Ressemble au Pin rigide qui, comme la plupart des autres Pins (plus de 30 esp. en Am. du N.), pousse mieux dans un sol sec.

MÉLÈZE, ou Tamaracs. Conifères à feuilles caduques (comme le Taxode, p. 69). Ses cônes sont dressés. Poussent hab. dans les sols secs, mais le Mélèze laricin pousse dans les marécages et le long des rivages au centre et à l'est de l'Am. du N. Il fait figure de pionnier dans l'évolution d'un étang (p. 24).

CHOU PALMISTE (fam. des Palmiers). Pousse souvent dans les terres humides, de la Caroline du Nord vers le Sud et le long de la côte du golfe du Mexique. Commun en Floride. D'autres Palmiers, plus petits, croissent dans les pinèdes du Sud.

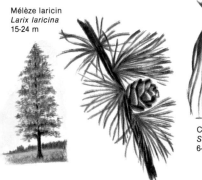

Mélèze laricin
Larix laricina
15-24 m

Chou palmiste
Sabal palmetto
6-15 m

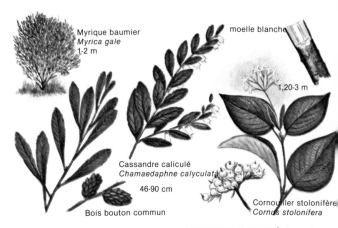

Myrique baumier
Myrica gale
1-2 m

moelle blanche

1,20-3 m

Cassandre calicule
Chamaedaphne calyculata
46-90 cm

Bois bouton commun

Cornouiller stolonifère
Cornus stolonifera

MYRIQUE BAUMIER (fam. des Myricacées). Croît dans les terres humides du nord et du centre de l'Am. du N. Brindilles à odeur épicée quand écrasées ; fleurs mâles et femelles en chatons, sur des plantes séparées.

CORNOUILLER STOLONIFÈRE (fam. des Cornacées). Pousse dans les lieux humides partout au centre de l'Am. du N. Buisson bas facilement identifiable en hiver par l'écorce rouge des nouvelles pousses. Floraison en mai. Les fruits sont des drupes dont se nourrissent les animaux sauvages.

ANDROMÈDE GLAUQUE (fam. des Éricacées). Buisson bas assez peu voyant poussant des tourbières et étangs du centre de l'Am. du N. Se propage par le rhizome. Atteint env. 60 cm.

SUMAC À VERNIS. (fam. des anacardiacées). Les autres Sumacs (env. 12 esp. en Am. du N.) poussent dans les sols secs. Sa sève est toxique comme le Sumac grimpant (Herbe à puce). Feuilles pennées, alternes ; rougissent. Les fleurs produisent un drupe (fruit) globuleux verdâtre.

CASSANDRE CALIGULÉ (fam. des Éricacées). Pousse dans les tourbières et marécages au centre de l'Am. du N. Fleurs en grappes tombantes, feuilles violacées en hiver.

ROSIER PALUSTRE. Tiges dressées et rigides ; atteint près de 2,5 m de haut ; fleurs peu voyantes. Pousse partout au centre et à l'est de l'Am. du N.

CÉPHALANTHE OCCIDENTAL (fam. des Rubiacées). Porte de petites masses globulaires de fleurs au bout de tiges sans feuilles. hab. un arbuste atteignant 15 m. Les oiseaux aquatiques se nourrissent de ses graines.

HOUX VERTICILLÉ. Une des quelque 15 esp. nord-amér. (fam. des Aquifoliacées), vivant dans l'Est. Feuilles alternes caduques, fruits rougeâtres dont se nourrissent les animaux sauvages en hiver.

fruit

Andromède glauque
Andromeda glaucophylla fruit

Rosier palustre
Rosa palustris

Céphalanthe occidental
Cephalanthus occidentalis

Houx verticillé
Ilex verticellata
1,5-4,5 m

Sumac à vernis
Rhus vernix
1,5-6 m fruit

PLANTES GRIMPANTES LIGNEU-SES. Peuvent former de denses four-rés sur les rivages et terres humides. Les Smilax, Vignes et Chèvrefeuilles sont des groupes largement répan-dus, comprenant chacun env. 24 esp. dont quelques-unes typiques des sols humides. Les Smilax (fam. des Liliacées) ont des tiges vertes munies de fortes épines droites. Les Smilax et les Vignes grimpent au moyen de vrilles : chez les Smilax, se dressant par paires, chez les Vignes, se rami-fiant au bout. Le Chèvrefeuille, par-fois de forme arbustive, a des bran-ches creuses.

Smilax hispide
Smilax hispida

Vigne cotonneuse
Vitis labrusca

Chèvrefeuille dioïque
Lonicera dioica

LES ANIMAUX

On trouve en eau douce des représentants de la plupart des groupes importants (phyla) d'animaux, depuis les minuscules animaux unicellulaires (Protozoaires) et les gros animaux pluricellulaires (Métazoaires) comme les vers, insectes, poissons et alligators. Certains, foncièrement aquatiques, passant toute leur vie dans l'eau. D'autres ne sont aquatiques qu'à certaines étapes de leur vie. Plusieurs animaux terrestres se nourrissent et élèvent leurs petits dans les marais ou sur les rives des étangs, lacs et cours d'eau.

Les animaux aquatiques et terrestres ont les mêmes besoin : suffisamment de nourriture, une certaine protection contre les prédateurs et la possibilité de se reproduire. Les substances chimiques du corps des animaux peuvent passer d'un animal à un autre, quand l'un devient la proie d'un prédateur mais retournent éventuellement dans le cycle de l'étang lorsque les animaux meurent et que leurs corps se décomposent (pp. 22-23).

PRINCIPAUX GROUPES D'ANIMAUX PALUSTRES

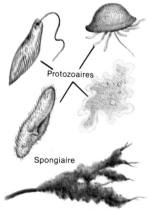

Protozoaires

Spongiaire

UNICELLULAIRES ou Protozoaires. Sont les plus simples de tous les animaux ; abondants dans les eaux des étangs et lacs, surtout celles qui sont riches en matières organiques. Avec les plantes simples (Algues, p. 31), ces minuscules animaux forment le plancton qui est l'élément de base de la chaîne alimentaire. p. 76.

SPONGIAIRES. Esp. surtout marine, une seule comptant des membres en eau douce. Leurs larves nagent librement, mais les adultes sont attachés, formant parfois des croûtes informes sur les brindilles et les rochers immergés. p. 77.

HYDRES (Cœlentérés). Corps en forme de sac composé de deux couches de cellules et d'une frange de tentacules autour de la bouche. p. 78.

ROTIFÈRES. Vivent seulement en eau douce, et sont souvent confondus avec les animaux unicellulaires. La rotation de leurs cils attire la nourriture et l'eau.

ECTOPROCTES ou Bryozoaires. Sont princ. marins. Quelques esp. vivent en eau douce, croissant en colonies « mousseuse ». p. 81.

VERS. Hab. abondants sous les roches ou dans les débris. Les annélides (pp. 82-83) comprennent les sangsues et les vers de terre. La plupart des vers plats (p. 84) sont des parasites ; quelques-uns vivent librement. Des groupes plus petits apparaissent aux pp. 118-119.

ARTHROPODES. Sont les plus nombreux de tous les animaux. Les écrevisses, insectes et araignées en sont des représentants gros et voyants. Les autres sont minuscules, mais également importants dans l'alimentation des poissons et autres animaux. p. 85.

MOLLUSQUES. Ont un corps mou enfermé dans une coquille calcaire ; — simple et spiralée (comme les limaces) ou à 2 valves à charnière (comme les palourdes). p. 114.

VERTÉBRÉS. Poissons, Batraciens, Reptiles, Oiseaux, Mammifères ; tous ont une épine dorsale. Certains sont herbivores ; d'autres sont carnivores et occupent le sommet de la plupart des chaînes alimentaires.

p. 120.

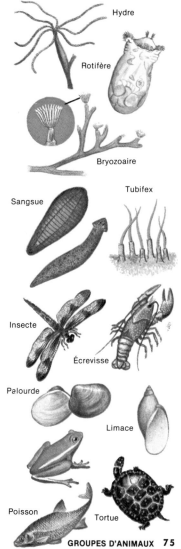

Hydre

Rotifère

Bryozoaire

Sangsue

Tubifex

Insecte

Écrevisse

Palourde

Limace

Poisson

Tortue

GROUPES D'ANIMAUX 75

ANIMAUX UNICELLULAIRES (Protozoaires). Animaux microscopiques, formés d'une seule cellule, assurant toutes les fonctions vitales : reproduction, excrétion, digestion, respiration et irritabilité. Les Protozoaires sont de formes variées et se déplacent de diverses façons. Plus de 30 000 espèces vivent dans un vaste éventail d'habitats humides et aquatiques. En nombre, ils surpassent probablement tous les autres animaux des étangs et lacs. Les Protozoaires se reproduisent par bourgeonnement d'un nouvel individu à partir du parent, par séparation de la cellule-mère pour former deux nouvelles cellules, et par la fusion de cellules ou de parties de cellules.

Certains Protozoaires se nourrissent d'algues, de fongus, de bactéries et d'autres Protozoaires. D'autres subsistent grâce à des substances dissoutes ou en décomposition et quelques-uns fabriquent leur nourriture. En retour, ils sont la proie des hydres (p. 78), des rotifères (p. 80) et de petits crustacés (p. 86).

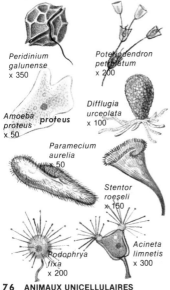

Peridinium galunense x 350

Poteriodendron pettolatum x 200

Amoeba proteus **proteus** x 50

Difflugia urceolata x 100

Paramecium aurelia x 50

Stentor roeseli x 150

Podophrya fixa x 200

Acineta limnetis x 300

FLAGELLÉS. Le protoplasme est muni d'une extension en forme de fouet (flagelle). Beaucoup sont des cellules uniques nageant librement ; d'autres forment des colonies. On les classe souvent avec les plantes.

RHIZOPODES. Se déplacent grâce au mouvement d'extension de leur cellule appelées pseudopodes. Certains sécrètent une coquille ; d'autres sont nus.

CILIÉS. Le protoplasme est muni de nombreux cils battant à l'unisson, propulsant l'animal et créant des courants qui amènent la nourriture à la cellule. Certains nagent librement, d'autres vivent attachés aux objets.

SUCTORIENS. La plupart sont parasites : certains causent des maladies. Les Suctoriens ont des « bras » en ventouse pour saisir leur nourriture et sont fixés par un pied.

SPONGIAIRES. Animaux simples croissant attachés et submergés, en colonies. Ils sont hab. marins. Les Spongiaires d'eau douce, tous membres d'une fam. d'env. 150 espèces, vivent dans les eaux claires peu profondes des étangs et lacs. Hab. crème terne ou brunâtres, mais certaines colonies sont vertes à cause des algues qu'ils abritent. Leur taille varie de quelques centimètres à plusieurs mètres carrés de croûtes informes.

Les Spongiaires se nourrissent d'animalcules flottants ou nageants et de plantes qu'ils attrapent dans leurs pores en y faisant circuler l'eau. Le corps d'une éponge est formé de bâtonnets (spicules) composés de silice, chez les formes d'eau douce. En automne, certaines éponges forment des gemmules, petites structures arrondies qui tombent au fond quand la colonie meurt de froid. Le printemps suivant, chaque gemmule se développe en une nouvelle éponge.

SPONGILLA. Comprenant plusieurs espèces, largement répandues dans les cours d'eau et eaux dormantes ; communément en association avec une espèce de *Meyenia*.

MEYENIA. Esp. largement répandues, tolérant la pollution légère. Certaines ne vivent qu'en eau acide, d'autres, qu'en eau alcaline ; hôtes de petits animaux.

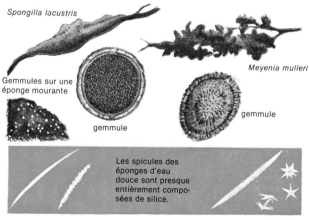

Spongilla lacustris

Meyenia mulleri

Gemmules sur une éponge mourante

gemmule

gemmule

Les spicules des éponges d'eau douce sont presque entièrement composées de silice.

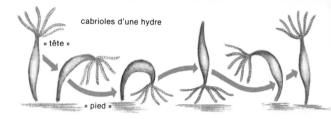

cabrioles d'une hydre

« tête »

« pied »

HYDRES (Cœlentérés). Corps en forme de sac formé uniquement de deux couches de cellules. Une seule ouverture cerclée de tentacules sert à la fois à prendre des aliments et rejeter les déchets. La plupart des Cœlentérés — anémones de mer, coraux et méduses — sont marins.

Les hydres, mesurant moins de 2,5 cm, vivent dans les eaux non polluées d'étangs et de lacs. Leur nourriture consiste en animaux unicellulaires, petits crustacés, vers, insectes et autres petits animaux qu'elles capturent au moyen de « cellules » spéciales (nématocystes) dans les tentacules entourant la bouche. Ces nématocystes peuvent saisir, piquer et paralyser les proies.

Les hydres peuvent se déplacer lentement sur leur « pied » ou cabrioler sur leurs 2 extrémités. Se reproduisent de façon sexuée ou par bourgeonnements qui se détachent des parents et croissent séparément.

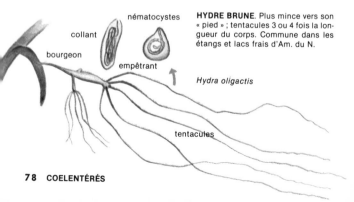

nématocystes

collant

bourgeon

empêtrant

Hydra oligactis

tentacules

HYDRE BRUNE. Plus mince vers son « pied » ; tentacules 3 ou 4 fois la longueur du corps. Commune dans les étangs et lacs frais d'Am. du N.

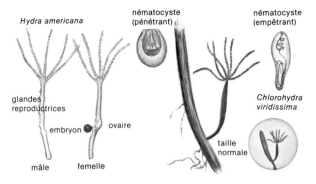

Hydra americana

glandes reproductrices

embryon ovaire

mâle femelle

nématocyste (pénétrant)

nématocyste (empêtrant)

Chlorohydra viridissima

taille normale

HYDRE D'AMÉRIQUE. Blanche ou grisâtre et dépourvue de pied. Ses tentacules sont plus courts que son corps. Commune partout dans l'est de l'Am. du N., vivant dans les eaux dormantes et les cours d'eau paresseux, attachée par sa base aux objets submergés.

HYDRE VERTE. Vert à cause des algues qui vivent dans les cellules recouvrant son corps, et qui sont souvent transmises du parent par l'oeuf. L'Hydre verte tire sa nourriture des algues et des débris organiques. Commune en Am. du N.

MÉDUSE D'EAU DOUCE. Seule espèce d'eau douce connue en Am. du N. et semblable aux méduses marines. Rarement plus d'un centimètre de diamètre, elle apparaît sporadiquement dans les lacs, étangs et même en aquariums. Son cycle de vie comprend un stade de petit polype fixé, alors qu'elle ressemble aux hydres.

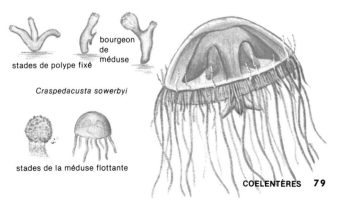

bourgeon de méduse

stades de polype fixé

Craspedacusta sowerbyi

stades de la méduse flottante

COELENTÉRÈS **79**

ROTIFÈRES. Communs dans toutes les eaux calmes. Les Rotifères sont minuscules, souvent microscopiques et parfois confondus avec des Protozoaires. Leur nom fait allusion au mouvement rotatif de l'appareil ciliaire (cils) à l'avant de leur corps. À l'arrière, se trouve un pied sécrétant une « colle » par laquelle le Rotifère se fixe aux objets. Les 1 700 espèces connues sont largement réparties. Certains vivent en zone littorale ; d'autres font partie du plancton pélagique. Certains se nourrissent d'algues ; d'autres percent les tiges des plantes et en sucent le jus. Beaucoup sont prédateurs. Les Rotifères sont en retour la nourriture des vers et des crustacés. Certains sécrètent un enduit gélatineux et demeurent léthargiques pendant des mois, si l'étang où ils vivent s'assèche.

ROTIFÈRES PÉLAGIQUES. (genres *Keratella*, *Polyarthra* et *Asplanchna*). En zone littorale, sont les Rotifères sessiles (fixes), tels les *Floscularia* et d'autres, comme *Philodina*, qui rampent sur le fond ou dans de denses amas de plantes. La composition chimique de l'eau détermine aussi la distribution de certaines espèces. *Brachionus* vit surtout dans les étangs alcalins des États de l'Ouest. *Monostyla* vit plus communément en eau acide. On peut capturer des Rotifères en tamisant l'eau d'un étang dans un filet à plancton (p. 28).

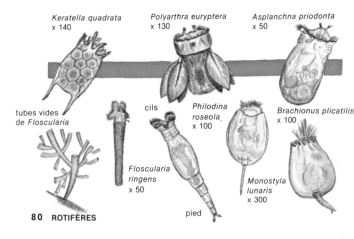

Keratella quadrata x 140

Polyarthra euryptera x 130

Asplanchna priodonta x 50

tubes vides de *Floscularia*

cils

Philodina roseola x 100

Brachionus plicatilis x 100

Floscularia ringens x 50

Monostyla lunaris x 300

pied

BRYOZAIRES (Ectoproctes). Croissent en colonies incrus-
tées sur les objets submergés. Les grandes colonies peuvent contenir des milliers d'individus. Lorsqu'ils se nourrissent, l'ondulation de leurs tentacules crée des courants qui
leur apportent algues, protozoaires et matières en décomposition. Si on les dérange, leurs tentacules se rétractent.

Une colonie s'accroît par bourgeonnement, mais aussi
par reproduction sexuée, hab. en été. Certaines espèces
produisent des bourgeons (statoblastes) à paroi épaisse et
qui résistent au froid et à la sécheresse. Dans des conditions favorables, les statoblastes germent et deviennent de
nouvelles colonies. Des bourgeons munis de crochets peuvent être transportés par d'autres animaux aquatiques.
Moins de 50 des 3 500 espèces vivent en eau douce, dont
env. 15 en Am. du N.

COLONIES de Bryozoaires. Communes dans les eaux calmes, rares en
eau polluée. *Fredericella* vit hab. sur
les fonds rocheux peu profonds, mais
on en a trouvé par plus de 100 bras-
ses de fond. *Plumatella* vit dans les
étangs et cours d'eau paresseux.
Pectinella ne supporte pas les basses températures et meurt quand

l'eau atteint 16° C. De grandes masses gélatineuses de *Pectinella* peuvent obstruer les tuyaux de prise
d'eau des usines de distribution
d'eau. *Plumatella* et *Fredericella*
vivent partout dans le monde ; *Pectinella*, seulement en Am. du N.

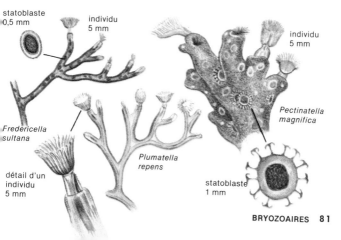

statoblaste
0,5 mm

individu
5 mm

individu
5 mm

*Fredericella
sultana*

*Pectinatella
magnifica*

*Plumatella
repens*

détail d'un
individu
5 mm

statoblaste
1 mm

VERS. Animaux appartenant à plusieurs groupes importants et non apparentés, mais qui partagent une forme généralement semblable, comprenant les vers plats (p. 84) et aussi des groupes plus petits (pp. 118-119). Les vers segmentés (Annélides) sont les vers de terre, vivant princ. sur terre, les sangsues, surtout en eau douce, et les Polychètes, surtout marins.

Quelques espèces de vers de terre vivent dans les étangs et lacs d'eau douce. Certains sont abondants dans la végétation en décomposition ou dans les masses d'algues flottantes. D'autres se nourrissent de matières organiques en s'enfonçant dans le fond boueux.

GROUPE DES VERS DE TERRE (OLIGOCHÈTES)

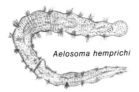

Aelosoma hemprichi

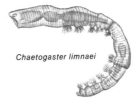

Chaetogaster limnaei

AELOSOMAS. Vivent dans les débris du fond et les pousses des plantes. Certaines espèces nagent. Ont hab. des taches rouges ou jaunes. Longueur d'env. 1,25 cm.

CHAETOGASTERS. Se nourrissent de petits crustacés et de larves d'insectes. Ont une grande bouche. Généralement incolores. Longueur, 1,25 cm.

DEROS. Se construisent un tube. Communs dans les débris ou sur les feuilles flottantes. 0.75 à 1,25 cm de long. Corps poilu se terminant par des protubérances en forme de doigt.

TUBIFEX. Sont rougeâtres et vivent au fond où ils se bâtissent un tube. Leur tête est enfouie dans la boue et leur queue ondule au-dessus. Longueur d'env. 2,5 cm.

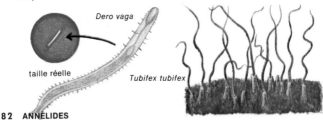

Dero vaga

taille réelle

Tubifex tubifex

Les sangsues sont des vers segmentés et aplatis, souvent abondants dans les eaux calmes, peu profondes et chaudes, où le fond est encombré de débris. On les trouve rarement en eau acide. Elles survivent à l'assèchement des étangs en s'enfonçant dans la boue du fond. Les sangsues fuient la lumière. Elles se déplacent en « faisant la boucle » fixant alternativement leurs ventouses buccale et caudale à la surface. Certaines esp. nagent gracieusement. Les Hirudinées suceuses de sang ont des mâchoires bien développées, contrairement aux espèces charognardes et carnivores.

SANGSUES (HIRUDINÉES)

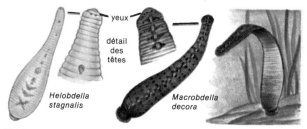

yeux

détail des têtes

Helobdella stagnalis

Macrobdella decora

HELOBDELLAS. Communes et largement distribuées dans les eaux tempérées. L'esp. illustrée est parasite des escargots ; d'autres s'attaquent aux poissons, grenouilles et tortues. Atteignent 8 cm.

ERPOBDELLAS. Se nourrissent sur les invertébrés, poissons et grenouilles ; s'attaquent parfois aux humains. Large distribution. Atteignent 10 cm.

MACROBDELLAS. Communes dans le nord des É.U. et le sud du Canada. Se nourrissent seulement du sang des vertébrés. Atteignent 25 cm ; ont des taches rouges et noires.

HAEMOPSIS. Se rendent parfois à des distances considérables loin de l'eau. Se nourrissent sur les invertébrés vivants ou morts. L'Haemopsis géant peut atteindre 45 cm.

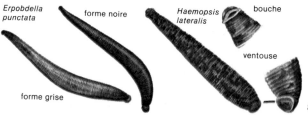

Erpobdella punctata

forme noire

forme grise

Haemopsis lateralis

bouche

ventouse

VERS PLATS (plathelminthes). Comme les douves et les ténias, ce sont des parasites. Les Turbellariés ou Planaires sont des vers plats vivant librement.

Les Turbellariés évitent la lumière, demeurant sous les pierres, les feuilles ou tout objet submergé durant le jour. Leur bouche, seule ouverture vers le tube digestif, est au bout d'un tube extensible situé au milieu du ventre. Ils ont des taches oculaires, sensibles à la lumière, à la région de la tête. Se nourrissent sur de petits animaux, vivants ou morts. Glissent le long des rochers où ils se fixent grâce à un cil ventral. S'ils se reproduisent de façon sexuée, les oeufs fécondés sont hab. enfermés dans un cocon en forme de coquille. Lors de la reproduction asexuée, le corps se divise en deux parties, chacune devenant un animal complet.

DUGESIAS. Largement répandus en Am. du N. *D. trigina* peut être tacheté de noir et de brun ou avoir une légère bande le long du corps ; ses lobes d'oreilles sont émoussés et ronds. *D. doratocephala*, aux lobes pointus, mesure 2 cm ou plus ; c'est le plus long ver plat d'Am. du N. Commun dans les marais alimentés par des sources.

CATUNELAS. Petits (moins de 1 cm) vers blanchâtre, des eaux stagnantes. Leur corps consiste en plusieurs unités séparées d'une chaîne.

PROCOTYLAS. Communs dans l'est de l'Am. du N. ; on de minuscules yeux (2 à 7) et un gros organe de succion pour se nourrir.

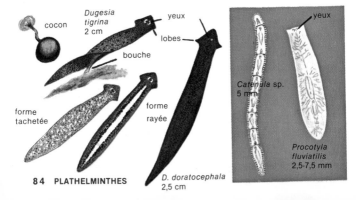

cocon · *Dugesia tigrina* 2 cm · yeux · lobes · bouche · forme tachetée · forme rayée · *Catenula* sp. 5 mm · yeux · *Procotyla fluviatilis* 2,5-7,5 mm · *D. doratocephala* 2,5 cm

84 PLATHELMINTHES

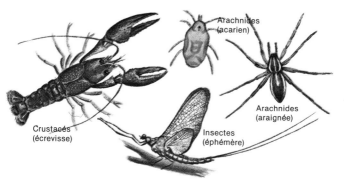

PRINCIPAUX GROUPES D'ARTHROPODES D'EAU DOUCE

ARTHROPODES. Animaux à membres articulés, à squelette externe segmenté et systèmes circulatoire, digestif, reproducteur et nerveux bien développés. Beaucoup affichent un comportement complexe. Les Arthropodes des trois classes sont abondants dans les étangs et lacs.

Les Crustacés sont caractérisés par leur corps en 2 sections : le céphalothorax (tête + thorax) et l'abdomen. Ils ont deux paires d'antennes, une paire d'appendices par segment de corps et des ouïes. Sont compris dans ce groupe, les animaux en forme de crevette, les écrevisses, et de nombreuses autres formes minuscules (p. 86).

Les Insectes ont hab. le corps en trois parties : la tête, le thorax et l'abdomen. Ils n'ont qu'une paire d'antennes et trois paires d'appendices, en plus d'ailes attachées au thorax. La respiration se fait par les trachées. Ce groupe comprend les éphémères, libellules, coléoptères, punaises, mouches et encore d'autres (p. 94).

Les Araignées et les Acariens (Arachnides) ont le corps en 2 sections : le céphalothorax et l'abdomen. Dépourvus d'antennes, ils ont quatre paires d'appendices et des trachées, ou des poumons. Ceux qui vivent sous l'eau doivent revenir à la surface pour respirer (p. 113).

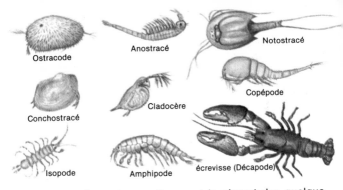

Ostracode

Anostracé

Notostracé

Copépode

Conchostracé

Cladocère

Isopode

Amphipode

écrevisse (Décapode)

CRUSTACÉS. Hab. aquatiques et la plupart des quelque 30 000 espèces sont marines. Ils sont dans une large mesure charognards ou se nourrissent de plantes, mais certains sont prédateurs, d'autres, parasites. La liste ci-dessous énumère les groupes qui vivent en eau douce ou à proximité.

OSTRACODES. Corps plat dans une carapace bivalve ; 2 paires (parfois 3) d'appendices arrondis sur le thorax. Coquille dépourvue de lignes de croissance. p. 87

ANOSTRACÉS. Sans carapace ; yeux pédonculés ; 11 à 17 paires d'appendices en forme de feuille, utilisés pour nager et respirer. pp. 88-89

NOTOSTRACÉS. Carapace en forme d'armure sur une partie de leur abdomen ; yeux non pédonculés ; 40 à 60 paires d'appendices. pp. 88-89

CLADOCÈRES. Tout le corps sauf la tête recouvert d'une carapace ; 4 à 6 paires d'appendices plats. pp. 88-89

CONCHOSTRACÉS. Carapace bivalve avec lignes de croissance (comme chez les palourdes) ; yeux non pédonculés ; 10 à 28 paires d'appendices plats. pp. 88-89

COPÉPODES. Corps cylindrique ; 5 ou 6 paires d'appendices arrondis. p. 90

ISOPODES. Corps comprimé latéralement ; sans carapace. p. 91

AMPHIPODES. Légèrement comprimés ; sans carapace ; sautillent quand ils sont hors de l'eau. p. 91

DÉCAPODES. Corps presque arrondi ; céphalothorax distinct enfermé dans une carapace ; munis d'appendices pour se nourrir, marcher, nager et se reproduire. p. 92

OSTRACODES. Hab. moins de 2,5 cm ; crustacés bivalves (comme les palourdes) vivant en eau douce, communs dans les amas d'algues ou d'autres végétaux et dans la boue du fond des étangs. Parmi les quelque 150 esp. d'Am. du N., plusieurs sont brillamment colorées. Certains ont des motifs foncés sur leurs valves. Leurs deux paires d'antennes sont propulsées d'entre les écailles quand elles sont ouvertes et, avec d'autres appendices, servent d'organes natatoires. Les oeufs sont pondus sur les tiges des plantes ou dans des débris. Les mâles de plusieurs espèces sont inconnus ; les femelles pondent des oeufs fécondés qui se développent en larves. La larve (nauplius), est très différente de l'adulte et passe par plusieurs étapes avant d'atteindre la maturité. Les Ostracodes sont des charognards. Les petits poissons s'en nourrissent. Les trois espèces illustrées ci-dessous sont communes dans les étangs.

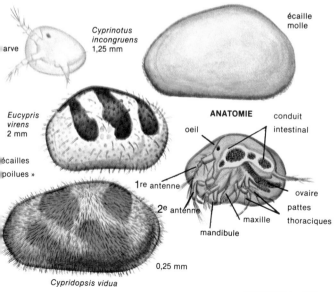

arve

Cyprinotus incongruens 1,25 mm

écaille molle

Eucypris virens 2 mm

« écailles poilues »

ANATOMIE

oeil

conduit intestinal

1re antenne

2e antenne

mandibule

maxille

pattes thoraciques

ovaire

0,25 mm

Cypridopsis vidua

ANOSTRACÉS. Apparaissent régulièrement dans les étangs petits ou temporaires et se multiplient abondamment. Rarement plus de 2,5 cm. Nagent sur le dos. Lors de la reproduction, le mâle tient la femelle avec des pinces qui se développent à partir de sa seconde paire d'antennes et d'une excroissance sur le devant de sa tête. La femelle a une oothèque derrière ses pattes. Env. 25 esp. en Am. du N. dont l'*Artemia*, bien connue des aquariophiles. Deux esp. communes sont illustrées en p. 89

NOTOSTRACÉS. Ont 40 à 60 paires d'appendices pour la nage sous leur carapace. Rampent également et s'enfoncent dans le fond vaseux. Longueur d'env. 2,5 cm.

CONCHOSTRACÉS. Communs dans les eaux chaudes peu profondes des étangs et lacs et aussi parfois dans les étangs temporaires. Coquille bivalve fermée par un muscle fort. Longueur d'env. 1 cm.

CLADOCÈRES (puces d'eau). Abondants dans toutes les eaux douces. Nagent par petits bonds au moyen de leur seconde paire d'antennes, plus grosses. Se nourrissent d'algues, d'animalcules et de débris organiques, balayés dans leur bouche par le courant d'eau créé par le mouvement de leurs pattes. Les petits poissons les consomment en grand nombre. Chez certaines espèces, la forme de la tête de la femelle varie selon les saisons.

CHYDORUS. Cladocère vivant dans le plancton ; *Daphnia* et *Bosmina* vivent à la fois dans les zones pélagique et littorale. *Scapholeberis* vit sous la pellicule de la surface, maintenu par des soies spéciales de son corps. *Leptodora*, carnivore transparent, ne vient hab. à la surface que la nuit. Ce plus gros des Cladocères est commun dans le plancton des étangs et lacs du Nord.

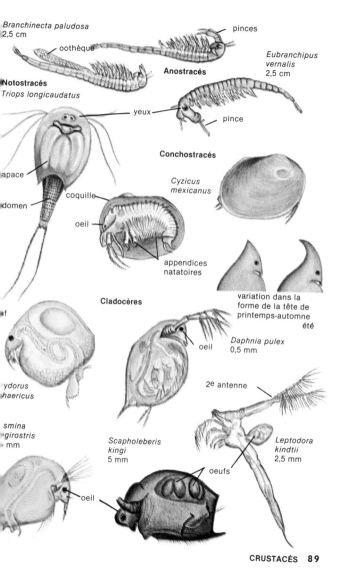

Branchinecta paludosa
2,5 cm

oothèque

pinces

Anostracés

Eubranchipus vernalis
2,5 cm

Notostracés
Triops longicaudatus

yeux

pince

Conchostracés

carapace

abdomen

coquille

oeil

Cyzicus mexicanus

appendices natatoires

variation dans la forme de la tête de printemps-automne été

Cladocères

Chydorus sphaericus

oeil

Daphnia pulex
0,5 mm

2e antenne

Bosmina longirostris
mm

Scapholeberis kingi
5 mm

oeil

oeufs

Leptodora kindtii
2,5 cm

oeufs

COPÉPODES. Petits crustacés (env. 2,5 mm) vivant partout dans les eaux peu profondes et le plancton pélagique des étangs et lacs. Certains s'accrochent à la végétation et même dans des débris humides au-dessus de la ligne d'eau. Quelques espèces, comme *Argulus*, sont parasites de poissons et autres animaux aquatiques, mais hab. inoffensifs. Lors de la reproduction, une ou deux oothèques se forment sur chaque femelle. Les petits passent par six stades de nauplius avant d'atteindre la maturité. Les Copépodes se nourrissent d'algues, bactéries et débris organiques. Servent eux-mêmes de nourriture à des animaux plus gros, bien que moins importants pour les poissons que les Cladocères (p. 88). Il y a trois groupes de Copépodes vivant librement.

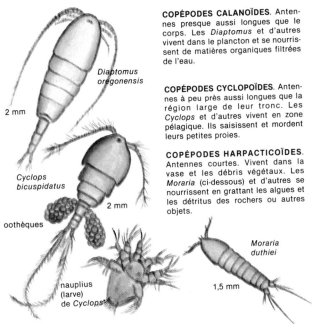

Diaptomus oregonensis

2 mm

Cyclops bicuspidatus

2 mm

oothèques

nauplius (larve) de *Cyclops*

Moraria duthiei

1,5 mm

COPÉPODES CALANOÏDES. Antennes presque aussi longues que le corps. Les *Diaptomus* et d'autres vivent dans le plancton et se nourrissent de matières organiques filtrées de l'eau.

COPÉPODES CYCLOPOÏDES. Antennes à peu près aussi longues que la région large de leur tronc. Les *Cyclops* et d'autres vivent en zone pélagique. Ils saisissent et mordent leurs petites proies.

COPÉPODES HARPACTICOÏDES. Antennes courtes. Vivent dans la vase et les débris végétaux. Les *Moraria* (ci-dessous) et d'autres se nourrissent en grattant les algues et les détritus des rochers ou autres objets.

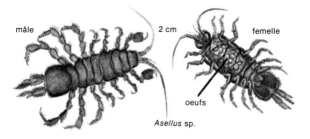

mâle 2 cm femelle

oeufs

Asellus sp.

ISOPODES. Sont avant tout des crustacés de terre ferme (cloportes, etc.) Quelques-uns, comme *Asellus*, vivent dans l'eau. Mesurant hab. moins de 2,5 cm, ces animaux aplatis et foncés sont princ. des charognards vivant sur les plantes en décomposition du fond.

AMPHIPODES. Largement répartis dans les étangs et même dans les eaux profondes des grands lacs. Comprimés latéralement comme les puces, les Amphipodes vivent près du fond ou parmi les objets submergés ; évitent la lumière. Certains, tels les Gammarus, atteignent 1,25 cm, mais la plupart sont beaucoup plus petits. Charognards de débris végétaux et animaux, ils sont à leur tour la proie des poissons qui se nourrissent parmi les plantes ou au fond. Les Amphipodes sont des hôtes intermédiaires pour les ténias (vers solitaires) et autres parasites des grenouilles, poissons et oiseaux.

GAMMARUS. Ressemble à *Hyalella*, mais ses premières antennes sont aussi longues que ses secondes, et munies d'une petite ramification. Se reproduit du printemps à l'automne.

HYALELLA. Abondant dans les masses d'élodées et d'algues. Ses premières antennes sont plus courtes que les secondes.

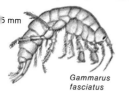

5 mm

*Gammarus
fasciatus*

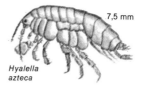

7,5 mm

*Hyalella
azteca*

ÉCREVISSES ET CREVETTES D'EAU DOUCE (Décapodes).
Apparentée aux crabes, homards et crevettes de mer. Ont
une carapace sur la tête et le thorax, et 5 paires de pattes,
les premières étant munies de grosses pinces pour tenir et
déchirer les aliments. Plus de 200 esp. d'écrevisses vivent
en Am. du N. Certaines ne vivent que dans les étangs, d'autres, dans les cours d'eau, terres humides, ou des trous
repérables par leur « cheminée » faite de boules de boue
provenant du creusage.

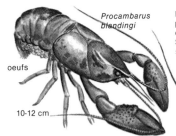

Procambarus blandingi

oeufs

10-12 cm

ÉCREVISSES D'ÉTANG. Vivent dans
presque toutes les eaux douces du
centre et du sud-est de l'Am. du N.
S'enfoncent dans le sol humide à la
saison sèche.

Procambarus clarki
10-12 cm

ÉCREVISSE DES MARAIS. Vit dans
les eaux paresseuses du sud-est de
l'Am. du N. ; introduite dans les États
de l'Ouest. En automne, les mâles
émigrent par voie terrestre en trou-
peaux vers de nouvelles eaux.

Pacifastacus leniusculus

10-12 cm

ÉCREVISSE DE L'OUEST. Une des
cinq esp. des eaux à l'ouest des
Rocheuses. Comme les autres écrevisses, elle est une importante
source alimentaire pour les poissons,
reptiles et autres carnivores.

Les écrevisses se cachent hab., le jour, dans des trous ou sous des objets. Elles sont actives la nuit. Leur nourriture consiste princ. en plantes et de nourriture animale, si elles en trouvent. La femelle transporte les oeufs fécondés entre les pattes natatoires de son abdomen. Les jeunes écrevisses passent par trois stades avant de devenir adultes. Elles muent, ou changent de carapace en grandissant.

Les crevettes d'eau douce vivent dans les pousses de plantes en eau peu profonde. Ressemblent aux crevettes de mer et sont plus petites que les écrevisses.

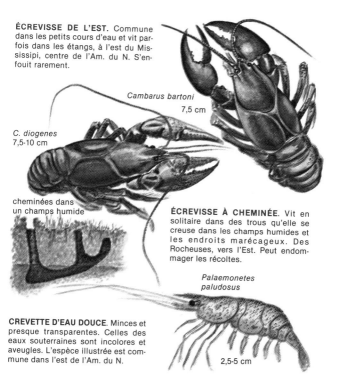

ÉCREVISSE DE L'EST. Commune dans les petits cours d'eau et vit parfois dans les étangs, à l'est du Mississipi, centre de l'Am. du N. S'enfouit rarement.

Cambarus bartoni
7,5 cm

C. diogenes
7,5-10 cm

cheminées dans un champs humide

ÉCREVISSE À CHEMINÉE. Vit en solitaire dans des trous qu'elle se creuse dans les champs humides et les endroits marécageux. Des Rocheuses, vers l'Est. Peut endommager les récoltes.

Palaemonetes paludosus

CREVETTE D'EAU DOUCE. Minces et presque transparentes. Celles des eaux souterraines sont incolores et aveugles. L'espèce illustrée est commune dans l'est de l'Am. du N.

2,5-5 cm

INSECTES. En Am. du N., environ 5 000 esp. d'insectes passent une partie ou toute leur vie dans l'eau. Les insectes adultes ont un corps en trois parties : la tête, le thorax et l'abdomen. Le thorax comporte trois paires de pattes articulées et, chez la plupart des ordres, deux paires d'ailes. Les stades immatures (nymphes, larves et pupes) sont multiples et importants dans la chaîne alimentaire des étangs et lacs.

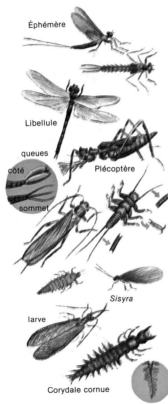

Éphémère

Libellule

queues

côté

Plécoptère

sommet

Sisyra

larve

Corydale cornue

ORDRES D'INSECTES AQUATIQUES

ÉPHÉMÈRES (Ephéméroptères). Les larves aquatiques, ou nymphes, nagent activement. Abdomen terminé par 2 ou 3 appendices plumeux (cerques) ; trachéo-branchies en forme de volet le long de l'abdomen ; une pince à chaque patte.　　p. 96

LIBELLULES ET DEMOISELLES (Odonates). Larves, ou nymphes actives. Les nymphes des demoiselles ont trois structures en forme de feuille s'étendant depuis la queue ; celles des libellules n'en ont pas. Chez les 2 esp., un masque recouvre les pièces buccales.　　pp. 98-99

PLÉCOPTÈRES. Les nymphes ont deux appendices caudaux articulés ; deux pinces à chaque patte.　p. 100

PLANIPENNES (Névroptères). Larves petites et actives. Corps couvert de plusieurs soies. Se nourrissent dans les éponges d'eau douce.　　p. 100

MOUCHES DES AULNES, CORYDALES ET CHAULIODES (Mégaloptères). Larves prédatrices à forts appendices ; cerque unique (mouche des aulnes) ou en paire (corydale).　　p. 100

COLLEMBOLES. Mesurent moins de 5 mm. Appendice fourchu sur le ventre, servant à se propulser sur la surface de l'eau ou le rivage.　　p. 100

HÉMIPTÈRES. Les larves et les adultes sont d'actifs prédateurs. Les larves ont un ou aucun appendice au bout de l'abdomen. Chez l'adulte, la partie arrière des ailes avant est molle et membraneuse. La bouche est un bec servant à sucer. p. 102-104

COLÉOPTÈRES. Les larves sont d'actifs prédateurs. Dépourvus d'appendice sur l'abdomen, mais certains ont de longs filaments à la queue. Larves et adultes ont des pièces buccales du type broyeur. Les adultes ont des ailes antérieures dures. Certains ne vivent que sur la surface de l'eau, d'autres, en dessous.　　p. 105-106

TRICHOPTÈRES (Phryganes). Les larves vivent hab. dans un fourreau formé de feuilles, grains de sable, brindilles ou autres débris. Deux crochets caudaux les y retiennent. p. 107

DIPTÈRES. Les larves aquatiques sont actives ; dépourvues de pattes. Les pupes de la plupart des esp. sont inactives, sans pattes (ou bien peu voyantes) ; corps court et dur, parfois dans un fourreau. Les adultes ont une paire d'ailes.　　p. 108-112

LÉPIDOPTÈRES (Papillons). Les larves, ou chenilles de quelques esp. sont aquatiques, vivant sous des feuilles de soie ou sous des rochers. Pièces buccales du type broyeur. Adultes de couleur terne.

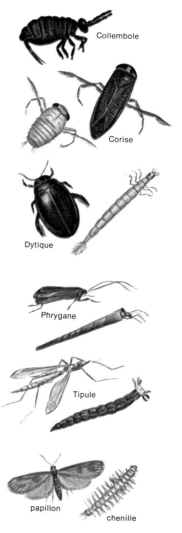

Collembole

Corise

Dytique

Phrygane

Tipule

papillon　　chenille

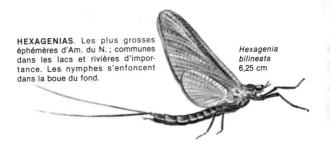

HEXAGENIAS. Les plus grosses éphémères d'Am. du N. ; communes dans les lacs et rivières d'importance. Les nymphes s'enfoncent dans la boue du fond.

Hexagenia bilineata 6,25 cm

ÉPHÉMÈRES (Ephéméroptères). Quatre ailes presque transparentes dressées verticalement quand l'insecte est au repos. Deux ou trois cerques prolongent l'abdomen. Les larves aquatiques (nymphes) ont des rangées de branchies en forme de feuille le long des côtés de l'abdomen et, comme les adultes, trois (parfois deux) longs cerques hab. plumeux. Les nymphes se nourrissent de petites plantes, d'animaux et de débris organiques, vivant de quelques mois à trois ans dans l'eau, selon les espèces. À maturité, elles flottent à la surface, muent et se transforment en sous-imago de couleur terne. Ce stade peut durer un jour ou plus ; puis une nouvelle mue amène l'apparition de l'imago brillant, prêt à se reproduire. Les adultes de certaines espèces sont vraiment éphémères, ne vivant que quelques heures. Ils ne se nourrissent pas ; leurs pièces buccales, non fonctionnelles, sont de taille très réduite. Les adultes se reproduisent en volant, plusieurs millions d'entre eux participant parfois à un essaimage nuptial se produisant près de l'eau. Après avoir pondu dans l'eau, la femelle meurt.

Larves et adultes constituent une nourriture importante des poissons. Les éphémères sont attirés par la lumière le long des berges, leurs corps s'y empilant parfois sur plus de 30 cm d'épaisseur (p. 97, haut). Environ 500 espèces en Am. du Nord.

ISONYCHIA. Larves adaptées pour la vie en eau courante et nagent avec un mouvement rapide et sec. Large distribution.

CLOEON. Larve grimpeuse, passant beaucoup de temps parmi les plantes. Vit princ. à l'est et au nord de l'Am. du N.

EPHEMERELLA. Larve de type étalé. S'accroche aux objets sur le fond des étangs et cours d'eau. Ses branchies font environ la moitié de la longueur de l'abdomen. Large distribution en Am. du N.

EPHEMERA Commune dans les petits étangs. Les larves s'enfoncent dans les sédiments du fond. Maintiennent leurs branchies plumeuses en mouvement, créant un courant d'eau dans le trou, et renouvelant l'oxygène à respirer.

BLASTURUS. Larves abondantes dans les petits étangs au printemps. Leur développement est rapide ; en avril ou mai, ils sont déjà matures et partis. Les larves sont rapides et de type broyeur. Communes dans la majorité des eaux de l'Am. du N.

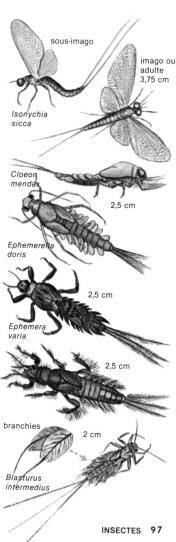

sous-imago

imago ou adulte
3,75 cm

Isonychia sicca

Cloeon mendax

2,5 cm

Ephemerella doris

2,5 cm

Ephemera varia

2,5 cm

branchies

2 cm

Blasturus intermedius

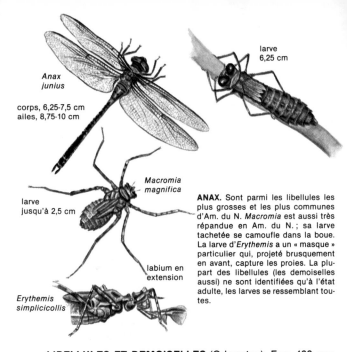

Anax junius

corps, 6,25-7,5 cm
ailes, 8,75-10 cm

larve
6,25 cm

Macromia
magnifica

larve
jusqu'à 2,5 cm

labium en
extension

Erythemis
simplicicollis

ANAX. Sont parmi les libellules les plus grosses et les plus communes d'Am. du N. *Macromia* est aussi très répandue en Am. du N. ; sa larve tachetée se camoufle dans la boue. La larve d'*Erythemis* a un « masque » particulier qui, projeté brusquement en avant, capture les proies. La plupart des libellules (les demoiselles aussi) ne sont identifiées qu'à l'état adulte, les larves se ressemblant toutes.

LIBELLULES ET DEMOISELLES (Odonates). Env. 400 esp. en Am. du N. Au repos, les libellules maintiennent leurs ailes en position horizontale. Les demoiselles, plus petites et plutôt délicates, tiennent leurs ailes vers le haut ou l'arrière. Les larves de ces deux insectes sont d'affreuses créatures de couleur terne dont les pièces buccales sont recouvertes d'une lèvre en forme de masque (labium). La mince larve de la demoiselle possède trois branchies en forme de feuille au bout de son abdomen. Les larves de libellules sont larges et dépourvues de ces branchies. Les deux se nourrissent de larves d'insectes, vers, petits crustacés, ou même de petits poissons. En retour, elles sont la proie de plusieurs poissons.

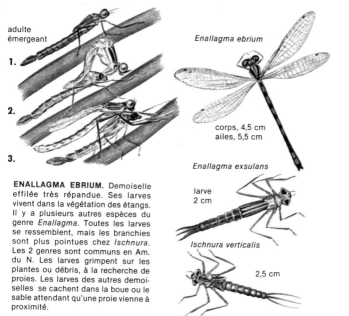

adulte émergeant

1.

2.

3.

Enallagma ebrium

corps, 4,5 cm
ailes, 5,5 cm

Enallagma exsulans

larve
2 cm

Ischnura verticalis

2,5 cm

ENALLAGMA EBRIUM. Demoiselle effilée très répandue. Ses larves vivent dans la végétation des étangs. Il y a plusieurs autres espèces du genre *Enallagma*. Toutes les larves se ressemblent, mais les branchies sont plus pointues chez *Ischnura*. Les 2 genres sont communs en Am. du N. Les larves grimpent sur les plantes ou débris, à la recherche de proies. Les larves des autres demoiselles se cachent dans la boue ou le sable attendant qu'une proie vienne à proximité.

Libellules et demoiselles se reproduisent en vol. Les femelles pondent dans l'eau, dans les masses de plantes flottantes, le sable ou des trous qu'elles percent dans les tiges des plantes, le lieu ou la méthode de ponte variant selon les espèces. Certaines complètent leur cycle de vie, de l'oeuf à l'adulte, en trois mois ; d'autres mettent jusqu'à cinq ans, passant par plusieurs états larvaires avant de devenir adultes. La transformation de la larve à l'adulte (imago) se produit sur la tige émergée d'une plante, une bille ou tout autre objet semblable. L'enveloppe externe de la larve se fend sur la longueur, sur la face supérieure et l'adulte en émerge, attendant que ses ailes sèchent pour s'envoler.

PLÉCOPTÈRES ou Perles. Ailes claires et membraneuses, et de longues antennes. Environ 300 esp. en Am. du N. Les larves vivent princ. dans les eaux courantes, et parfois dans les étangs calmes, hab. sous les pierres, les feuilles ou autres débris. Ce sont des créatures allongées jusqu'à 5 cm de long, avec des trachéo-branchies en touffes derrière chaque patte. Certaines espèces sont carnassières, d'autres sont herbivores. Les poissons et d'autres animaux aquatiques s'en nourrissent.

COLLEMBOLES. Bien que pas vraiment aquatiques, ils sont communs à la surface des étangs et dans les débris humides en bordure de l'eau, ces insectes aptères primitifs, moins de 5 mm, sautent en utilisant un appendice à ressort sous leur abdomen.

MÉGALOPTÈRES (mouches des aulnes, corydales et chauliodes). Hab. actifs au crépuscule ou à la nuit. Les larves de la mouche des aulnes sont brunâtres, à peau épaisse et longues d'env. 2,5 cm. Elles vivent dissimulées, princ. dans la boue ou sous les pierres des zones littorales. Les corydales sont brunâtres à ailes tachetées de blanc et atteignent 12,5 cm d'envergure. Les mâles ont des pièces buccales recourbées pour retenir la femelle lors de l'accouplement. Les larves prédatrices peuvent atteindre 7,5 cm. Les chauliodes sont brun rougeâtre, souvent avec des rayures jaunâtres ; ailes brunâtres. Leur larves prédatrices ressemblent à celles de corydale, mais sont plus petites.

NÉVROPTÈRES (mouche à spongilles ou *sisyra*). Grisâtres ou brun-jaunâtre, apparaissent en été et ne vivent que quelques jours. Les larves vivent dans ou sur les éponges d'eau douce, se nourrissant de leurs tissus. Les *sisyra* (env. 6 esp. en Am. du N.) sont encore mal connues.

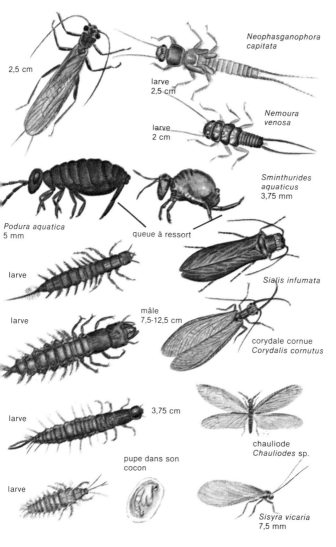

Neophasganophora capitata

2,5 cm

larve
2,5 cm

Nemoura venosa

larve
2 cm

Sminthurides aquaticus
3,75 mm

Podura aquatica
5 mm

queue à ressort

larve

Sialis infumata

larve

mâle
7,5-12,5 cm

corydale cornue
Corydalis cornutus

larve

3,75 cm

chauliode
Chauliodes sp.

pupe dans son cocon

larve

Sisyra vicaria
7,5 mm

PUNAISES (Hémiptères). Ont des pièces buccales piqueuses et suceuses. Certaines sont aptères, mais la plupart ont quatre ailes. La partie arrière de chaque aile avant est membraneuse avec une plaque triangulaire (le scutellum), entre la base des ailes. Les larves ressemblent aux adultes, mais sont aptères. Elles se métamorphosent graduellement. La plupart des punaises aquatiques se nourrissent d'insectes ou d'autres invertébrés. Certaines peuvent voler ; d'autres marchent à la surface de l'eau. La plupart sont adaptées pour nager, plonger ou s'accrocher à la végétation submergée.

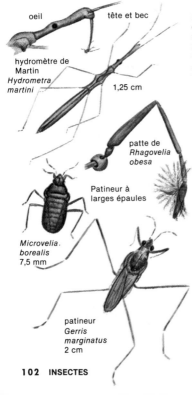

oeil

tête et bec

hydromètre de Martin
Hydrometra martini

1,25 cm

patte de *Rhagovelia obesa*

Patineur à larges épaules

Microvelia borealis
7,5 mm

patineur
Gerris marginatus
2 cm

HYDROMÈTRES. Insectes effilés de couleur sombre, rampant hab. à la surface, parmi les denses pousses de plantes. Elles transpercent leur proie avec leur bec pointu, puis en tirent le jus. Leurs yeux sont près de la base de leur longue tête. Env. 6 esp. en Am. du N.

PATINEURS À LARGES ÉPAULES. Sont plus larges du thorax ; foncées, avec des taches pâles. *Microvelia* est le plus commun. Les *Rhagovelia* utilisent des touffes poilues au bout de leurs pattes médianes pour pagayer. Attrapent insectes ou petits crustacés sur ou juste sous la surface de l'eau. Env. 20 esp. en Am. du N.

PATINEURS. Insectes effilés, foncés et à pattes longues, patinant ou sautant sur la pellicule de la surface. Se rassemblent souvent en grand nombre. Les adultes sont hab. aptères. Comme les précédents, ce sont des prédateurs. 30 esp. en Am. du N., soit env. le tiers du genre *Gerris*.

MÉSOVÉLIES. Petites et hab. verdâtres, vivant sur la surface près des rives et sur des débris. Se nourrissent d'animaux trouvés à la surface. 3 esp. en Am. du N.

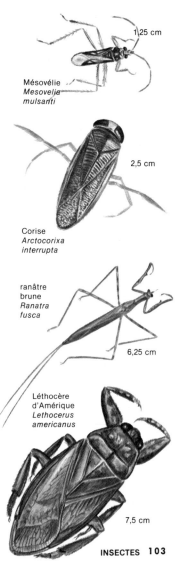

Mésovélie
*Mesovelia
mulsanti*

1,25 cm

CORISES. Insectes effilés, aux pattes arrière longues et aplaties pour nager. L'air pris à la surface entoure hab. l'insecte dans une enveloppe argentée. La corise doit se fixer à des objets pour demeurer submergée. Les adultes au vol puissant sont communément attirés par la lumière. Se nourrissent d'algues ou de matière végétale et animale qu'elles sucent du fond vaseux. Env. 115 esp. de corises dans les eaux d'Am. du N. *Arctocorixa* (ici) et *Corixa* (p. 95) sont deux genres communs.

2,5 cm

Corise
*Arctocorixa
interrupta*

RANÂTRES. Long tube respiratoire formé de deux filaments à rainure au bout de leur abdomen. Vivent sous l'eau, mais projettent leur tube respiratoire à la surface pour refaire le plein d'air. Elles sont carnassières, saisissant leurs proies avec leurs fortes pattes avant. Env. 12 esp. en Am. du N.

ranâtre
brune
*Ranatra
fusca*

6,25 cm

LÉTHOCÈRES. Les plus grosses de toutes les punaises d'eau. Se nourrissent d'insectes, de têtards et de petits poissons, tuant leur proie avec le poison qu'ils sécrètent en mordant. Chez certaines espèces, le mâle transporte les oeufs sur son dos. Attirés par la lumière. Env. 24 esp. en Am. du N. ; plus abondants dans le Sud-Est.

Léthocère
d'Amérique
*Lethocerus
americanus*

7,5 cm

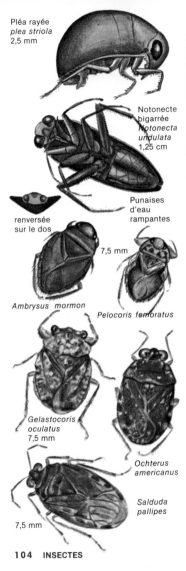

Pléa rayée
plea striola
2,5 mm

Notonecte
bigarrée
*Notonecta
undulata*
1,25 cm

renversée
sur le dos

Punaises
d'eau
rampantes

Ambrysus mormon

Pelocoris femoratus

7,5 mm

*Gelastocoris
oculatus*
7,5 mm

*Ochterus
americanus*

*Salduda
pallipes*

7,5 mm

PLÉA RAYÉE. Commune, accrochée aux masses enchevêtrées de plantes. Ne nage que sur de courtes distances (d'une plante à une autre). Se nourrit surtout de crustacés. Une seule espèce très répandue, vit en Am. du N.

NOTONECTE. Évolue sur son dos caréné (en forme de bateau). Pattes en forme de pagaie ; pattes arrière beaucoup plus longues que les médianes et antérieures. Garde une réserve d'air sous son corps et sous ses ailes. Vient périodiquement à la surface pour se reposer et renouveler sa provision d'air, en se collant le bout de l'abdomen sur la surface de l'eau. Morsure douloureuse. Env. 20 esp. en Am. du N.

PUNAISES D'EAU RAMPANTES. Transportent une bulle d'air sous leurs ailes. Se déplacent en nageant et rampant ; saisissent leurs proies avec leurs fortes pattes. *Pelocoris* vit dans l'est de l'Am. du N. ; *Ambrysus* est un genre de l'Ouest.

GELASTOCORIS. Commun dans la boue et le sable le long des berges des eaux calmes de l'Am. du N. Larges pattes avant pour saisir. Les *Ochterus* sont semblables aux précéd., sauf pour leurs pattes avant plus effilées.

SALDUDA. Punaises sauteuses vivant dans le sol humide le long des berges, partout en Am. du N. Volent rapidement, mais sur de courtes distances. Sucent les jus des petits invertébrés morts.

COLÉOPTÈRES. Épaisses et fortes ailes avant recouvrant leurs ailes arrière membraneuses. Adultes et larves ont des pièces buccales broyeuses. Certains se nourrissent de plantes, d'autres, d'animaux ; certains sont charognards. Des quelque 280 000 esp. de Coléoptères, seuls quelques-uns vivent dans l'eau au cours d'une ou des quatre étapes de leur vie. Les larves sont actives ; elles ont trois paires de pattes.

DYTIQUES. Communs dans la plupart des lacs et étangs. Larves et adultes se nourrissent d'insectes et de petits animaux aquatiques. Les adultes se tiennent hab. la tête en bas et le bout de l'abdomen au-dessus de la surface. Dans cette position, ils emmagasinent de l'air sous leurs ailes. Les adultes brillants et brun-noirâtre ont un vol puissant et sont attirés par la lumière. Plus de 300 esp. en Am. du N.

PELTODYTES. Vivent en eau peu profonde parmi les masses de plantes, spéc. les algues. Sont de piètres nageurs. Les larves ne sont qu'herbivores, mais les adultes sont herbivores et carnassiers. Env. 50 esp. en Am. du N.

GYRINS. Se servent de leurs courtes pattes médianes et arrière en forme d'éventail pour raser la surface et plonger. Pattes avant longues et effilées. Chaque oeil est divisé en deux parties, lui permettant de voir au-dessus et au-dessous de l'eau. Les adultes sont charognards ; les larves sont des carnassières voraces. Plus de 50 esp. en Am. du N. Plusieurs émettent une forte odeur quand on les attrape.

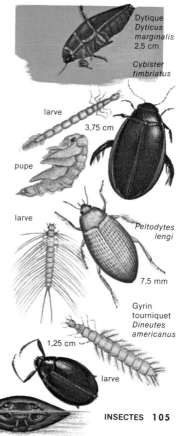

Dytique
Dyticus marginalis
2,5 cm

Cybister fimbriatus

larve

3,75 cm

pupe

larve

Peltodytes lengi

7,5 mm

Gyrin tourniquet
Dineutes americanus

1,25 cm

larve

yeux

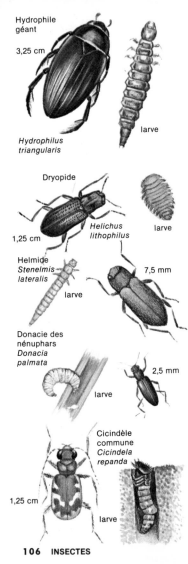

Hydrophile géant

3,25 cm

Hydrophilus triangularis

larve

Dryopide

Helichus lithophilus

larve

1,25 cm

Helmide
Stenelmis lateralis

larve

7,5 mm

Donacie des nénuphars
Donacia palmata

larve

2,5 mm

Cicindèle commune
Cicindela repanda

1,25 cm

larve

HYDROPHILES. Ont des antennes trapues et en forme de massue qu'ils pointent au-dessus de la surface quant ils doivent renouveler leur réserve d'air, emprisonné dans les antennes et sous les ailes. Les adultes sont surtout herbivores ; les larves sont carnassières. Env. 160 esp. en Am. du N. Longueur variant entre 7,5 mm et 3,75 cm.

DRYOPIDES. Petits Coléoptères poilus se nourrissant d'algues. On sait peu de choses de leurs larves qui s'accrochent sur le revers des pieux et tiges. Les adultes sont très répandus dans les lacs, étangs et cours d'eau. Env. 25 esp. en Am. du N.

HELMIDES. Rampent sur le fond ou sur les plantes dont ils se nourrissent. Une pellicule d'air entourant le corps de l'adulte lui sert de réservoir d'oxygène. Env. 75 esp. dans l'est de l'Am. du N.

CHRYSOMÈLES. Hab. terrestre, mais certaines espèces sont communes à la surface des étangs et se nourrissent de plantes. Les larves respirent grâce à 2 tubes épineux qu'elles enfoncent dans le tissu végétal pour en puiser l'oxygène. Les larves adultes tissent un cocon.

CICINDÈLES. Comprennent plusieurs espèces, vivant le long des berges humides et sablonneuses des étangs, lacs et cours d'eau. Les adultes sont actives le jour et s'envolent rapidement quand on s'en approche. La larve affreuse et à grosse mâchoire, vit dans un trou, attendant à l'entrée qu'une proie s'approche assez pour l'attraper.

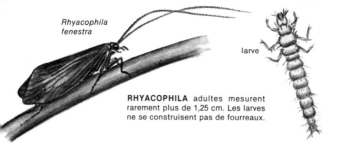

Rhyacophila fenestra

larve

RHYACOPHILA adultes mesurent rarement plus de 1,25 cm. Les larves ne se construisent pas de fourreaux.

PHRYGANES (Trichoptères). Ressemblent à des papillons. Larves et pupes sont aquatiques. Les larves à corps mou ont une enveloppe dure et cornée sur la tête, et chacun des trois segments distincts du thorax comporte une paire de pattes. Les larves se construisent un fourreau de feuilles, de sable, de brindilles ou d'écorce, si caractéristique qu'il sert à identifier la plupart des espèces. Quelques-uns des nombreux types sont illustrés ci-dessous. Les larves qui se font un fourreau portatif le tirent derrière elles en rampant sur le fond. Les larves se nourrissent tant d'animaux que de plantes. Certaines espèces des cours d'eau se construisent des filets pour attraper la nourriture à la dérive. Presque toute la vie des phryganes se passe à l'état larvaire. Le stade de la pupe dure env. deux semaines ; l'adulte vit env. un mois. Les larves sont une importante nourriture pour les poissons, entre autres la truite. Plus de 750 esp. en Am. du N.

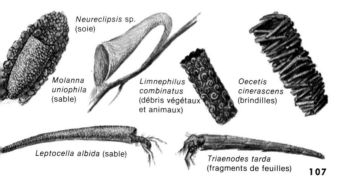

Neureclipsis sp. (soie)

Molanna uniophila (sable)

Limnephilus combinatus (débris végétaux et animaux)

Oecetis cinerascens (brindilles)

Leptocella albida (sable)

Triaenodes tarda (fragments de feuilles)

DYPTÈRES. Ont deux ailes antérieures membraneuses ; les ailes arrière sont réduites à deux tigelles (appelées « balanciers »). Les Diptères ont des pièces buccales épongeuses et perceuses-suceuses et certaines (les moustiques), forment une longue trompe. Les larves et les pupes de plusieurs Diptères sont aquatiques, mais aucun adulte ne vit dans l'eau. Bien qu'hab. peu voyantes, les larves peuvent être en grand nombre dans les lacs et étangs, certaines à la surface, d'autres dans les débris et la boue du fond. Elles sont une importante nourriture pour les poissons et autres animaux. Le stade larvaire de certaines espèces ne dure que quelques semaines ; chez d'autres, plusieurs années. Les larves de la plupart des mouches (asticots) n'ont pas de tête distincte. Elles sont sans yeux.

MOUSTIQUES. Les larves de 5 mm à plus de 1,25 cm de long, diffèrent des larves des autres Diptères, leur tête et leur thorax étant plus gros que le reste du corps. Ces larves mangent des plantes et animaux microscopiques ou des débris organiques filtrés par les brosses entourant leur bouche ; elles respirent par des branchies au bout de leur abdomen. Demeurent hab. à la surface, mais se tortillent vers le bas si on les dérange.

Les pupes de moustiques sont aussi aquatiques. Contrairement aux larves, leur tête et leur thorax sont soudés en une partie, et elles respirent par des tubes de leur thorax. En contraste avec les pupes des autres insectes, celles-ci sont actives et nagent en se servant de leurs appendices caudaux en forme de feuille.

Seules les moustiques femelles sucent le sang qui leur est hab. nécessaire avant de pondre. Certaines espèces de moustiques transmettent des maladies comme la malaria et la fièvre jaune. Les mâles se nourrissent de nectar et de fruits mûrs. Les moustiques survivent à l'hiver et à la sécheresse à l'état d'oeuf, qui éclosent dès que les conditions sont favorables. Env. 120 esp. en Am. du N.

CHAOBORUS. Ressemblent aux moustiques et, comme eux, ont des ailes velues et écailleuses. Par contre, les adultes ne se nourrissant pas, ils ne piquent pas. Apparaissent souvent en très grandes quantités, attirés par la lumière. Les larves, d'env. 1,25 cm, et presque transparentes, vivent dans les mares, étangs et lacs. Nagent et foncent rapidement, s'attaquant aux larves de moustiques, petits crustacés et autres petits animaux. Les antennes des larves, servant à capturer leurs proies et aussi à nager, sont pointées vers le bas, devant la bouche.

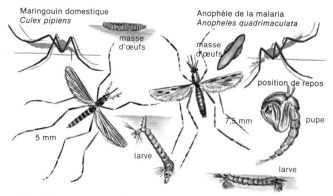

Maringouin domestique
Culex pipiens

masse d'œufs

Anophèle de la malaria
Anopheles quadrimaculata

masse d'œufs

position de repos

5 mm

7,5 mm

pupe

larve

larve

MARINGOUINS DOMESTIQUES. Au repos, les adultes appuient leur corps contre la surface. Les larves se tiennent obliquement.

L'ANOPHÈLE DE LA MALARIA se tient l'abdomen en haut. La larve se tient horizontalement.

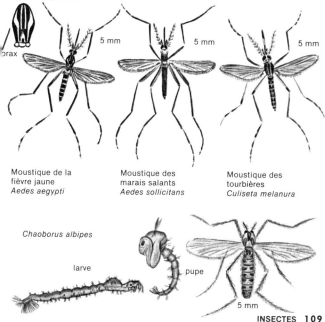

thorax

5 mm

5 mm

5 mm

Moustique de la fièvre jaune
Aedes aegypti

Moustique des marais salants
Aedes sollicitans

Moustique des tourbières
Culiseta melanura

Chaoborus albipes

larve

pupe

5 mm

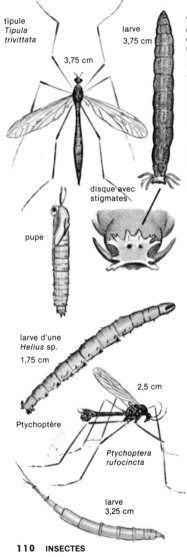

tipule
*Tipula
trivittata*

3,75 cm

larve
3,75 cm

disque avec
stigmates

pupe

larve d'une
Helius sp.
1,75 cm

Ptychoptère

2,5 cm

*Ptychoptera
rufocincta*

larve
3,25 cm

TIPULES. Ressemblent à des moustiques géants. Très répandues en Am.
du N., communes en essaims près
des étangs ; sont aussi attirées par la
lumière. Se reproduisent en vol et les
femelles pondent dans l'eau. Les larves aquatiques, brunâtres ou blanchâtres, sont identifiables par le disque caudal, troué de spiracles tubulaires, qu'elles projettent à la surface
pour respirer. Les larves de certaines
tipules sont prédatrices ; d'autres
sont végétariennes. Les adultes de
certaines esp. se nourrissent de nectar, mais plusieurs ne se nourrissent
pas. Les tipules ne piquent pas.

Env. 30 esp. en Am. du N. sont
aquatiques. Parmi les plus répandues sont les *Tipula*. Leurs grosses
larves à peau dure vivent dans les
amas d'algues ou d'autre végétation,
sur les fonds sablonneux ou boueux
des lacs et étangs, dans l'herbe
humide ou les débris sur les berges
des terres basses. Les *Helius* vivent
dans les boues riches et sur la végétation flottante des marais, surtout
dans les eaux où les plantes émergentes abondent.

PTYCHOPTÈRES. Ressemblent aux
tipules, mais les larves ont un long
tube respiratoire à l'arrière. Ces larves vivent dans les plantes en décomposition et dans la boue en bordure
des étangs et lacs. Des sacs d'air aux
pattes des adultes de certaines espèces les aident à planer, même par
vent léger. Seulement 6 esp. en Am.
du N.

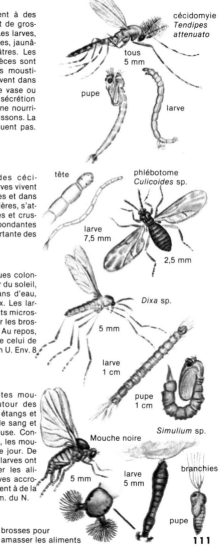

CÉCIDOMYIES. Ressemblent à des moustiques. Les mâles ont de grosses antennes plumeuses. Les larves, au corps arrondi, sont rouges, jaunâtres, verdâtres ou blanchâtres. Les pupes de nombreuses espèces sont actives, comme celles des moustiques. Certaines espèces vivent dans des fourreaux de sable, de vase ou de débris cimentés par une sécrétion collante. Les larves sont une nourriture importante pour les poissons. La plupart des adultes ne piquent pas. Env. 200 esp. en Am. du N.

cécidomyie
Tendipes attenuato

tous
5 mm

pupe

larve

PHLÉBOTOMES. Sont des cécidomyies piqueuses. Les larves vivent dans des masses de plantes et dans la boue. Elles sont carnassières, s'attaquant à de petits insectes et crustacés. Peuvent être très abondantes et sont une nourriture importante des petits poissons.

tête

phlébotome
Culicoides sp.

larve
7,5 mm

2,5 mm

DIXA. Se tiennent en longues colonnes ondoyantes au coucher du soleil, au-dessus ou près des plans d'eau, lors d'essaimages nuptiaux. Les larves se nourrissent d'aliments microscopiques filtrés de l'eau par les brosses entourant leur bouche. Au repos, le corps de la larve, comme celui de la pupe, est recroquevillé en U. Env. 8 esp. en Am. du N.

Dixa sp.

5 mm

larve
1 cm

pupe
1 cm

MOUCHES NOIRES. Petites mouches plus communes autour des cours d'eau qu'autour des étangs et lacs. Les femelles sucent le sang et leur morsure est douloureuse. Contrairement aux moustiques, les mouches noires sont actives le jour. De chaque côté de la tête, les larves ont des brosses pour amasser les aliments. Les masses de larves accrochées aux pierres ressemblent à de la mousse. Env. 50 esp. en Am. du N.

Simulium sp.

Mouche noire

5 mm

larve
5 mm

branchies

pupe

brosses pour
amasser les aliments

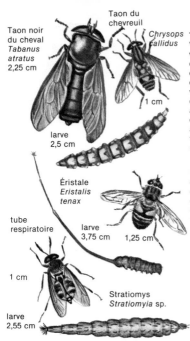

Taon du chevreuil

Taon noir du cheval
Tabanus atratus
2,25 cm

Chrysops callidus

1 cm

larve
2,5 cm

Éristale
Eristalis tenax

larve
3,75 cm   1,25 cm

tube respiratoire

1 cm

Stratiomys
Stratiomyia sp.

larve
2,55 cm

TAONS DU CHEVAL ET DU CHE-VREUIL (nombreuses espèces). Larves aquatiques. La larve du taon du cheval, forte et à l'aspect d'un ver, env. 2,5 cm de long, s'amenuise aux extrémités. Celle du taon du chevreuil est plus petite. Les deux s'attaquent à des vers, escargots et autres animaux. Les femelles pondent sur des plantes ou des pierres juste au-dessus de la surface de l'eau. Les taons femelles piquent ; les mâles se nourrissent de nectar.

ÉRISTALES. Larves appelées asticots à queue de rat, vivent dans les débris au fond des eaux peu profondes. Respirent par un tube de 2,5 cm de long pointé au-dessus de la surface. Jouent un rôle important dans la pollinisation des fleurs.

STRATIOMYS. Comprennent plusieurs espèces à larves aquatiques. Certaines mesurent près de 5 cm. Rigides et recouvertes d'une épaisse peau, ces larves semblent sans vie. Des soies entourent les spiracles respiratoires au bout de leur abdomen.

PAPILLONS DE NUIT. Le plus important groupe de Lépidoptères, comprenant quelques espèces aquatiques. Les chenilles mesurent env. 2 cm. Certaines se construisent un fourreau de fragments de feuilles, tissé de soie. Chez d'autres espèces, les pupes se développent dans un fourreau accroché aux plantes submergées ; d'autres, aux plantes émergentes. Les petits papillons de ces espèces aquatiques sont d'un brun terne ou gris.

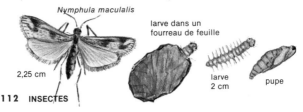

Nymphula maculalis

larve dans un fourreau de feuille

2,25 cm

larve
2 cm

pupe

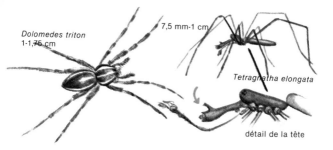

Dolomedes triton
1-1,75 cm

7,5 mm-1 cm

Tetragnatha elongata

détail de la tête

HYDRACARIENS ET ARAIGNÉES. Ont huit pattes, tout comme les tiques, les scorpions et autres membres du même groupe d'arthropodes — les Arachnides.

Parmi les quelques espèces d'araignées qui passent leur vie dans l'eau ou à proximité, *Dolomedes* peut plonger et demeurer submergée pendant de longues périodes. Très répandue en Am. du N., se nourrit princ. d'insectes, mais on sait aussi qu'elle attrape de petits poissons et des têtards. *Tetraghatha*, vit près des berges des étangs et cours d'eau dans sa toile globuleuse et patine souvent sur l'eau. Attrape des cécidomyies, tipules et autres insectes dans son piège. De nombreuses autres espèces d'araignées vivent sous les pieux ou les pierres, ou dans la végétation le long des berges.

Les hydracariens, mesurant moins de 5 mm de long, vivent avec le plancton flottant ou dans la végétation humide le long des berges. Chaque espèce est limitée à son habitat particulier. Les hydracariens se nourrissent de vers, petits crustacés et insectes ; certains sont parasites. Quelques-uns nagent ; d'autres rampent sur les plantes et les rochers ; tous refont surface pour respirer.

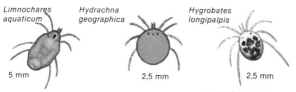

Limnochares
aquaticum

Hydrachna
geographica

Hygrobates
longipalpis

5 mm

2,5 mm

2,5 mm

MOLLUSQUES. Animaux à corps mou, dans une coquille (sauf la limace, terrestre, et le calmar et la pieuvre, marins, chez qui la coquille est absente ou petite et interne). Les deux groupes d'eau douce sont les escargots et les palourdes. Chez ces deux types, la coquille est composée surtout de calcaire sécrété par la partie charnue (manteau) entourant le corps de l'animal. Les mollusques sont peu abondants dans les eaux douces ou acides (à pH bas), où leur coquille calcaire se dissoudrait.

ESCARGOTS (Gastéropodes). Ont une coquille simple enroulée, de forme arrondie, aplatie ou en spirale haute. Les Gastéropodes ont une tête distincte et une paire de tentacules sensorielles pouvant s'étendre ou se rétracter. Un oeil est situé à la base de chaque tentacule. Sous les tentacules se trouve la bouche, munie d'une langue dentelée (la radula), qui, dans un mouvement de va-et-vient, sert à déchiqueter la nourriture. Les Gastéropodes d'eau douce se nourrissent princ. de plantes, certaines espèces mangent des animaux morts. Ils sont la proie de différentes espèces de poissons, quelques oiseaux et autres animaux. Certains sont les hôtes de vers parasites. Les escargots rampent sur un épais « pied » musculeux sous leur corps.

PROSOBRANCHES. Respirent au moyen de branchies, une série de tissus en forme de feuille sur le manteau. Une mince plaque cornée (l'opercule), attachée au « pied », scelle l'ouverture de la coquille lorsque le pied se rétracte.

Presque tous les prosobranches pondent leurs oeufs dans des cocons gélatineux. Chez les bigorneaux, cependant, les oeufs sont portés à l'intérieur de la coquille de l'adulte jusqu'à leur éclosion.

PULMONÉS. Ont un « poumon » en forme de sac, formé d'une partie du manteau. Ils respirent de l'air à la surface de l'eau, mais certains peuvent demeurer indéfiniment sous l'eau, la respiration se faisant par la surface du corps. Les pulmonés n'ont pas d'opercule pour fermer l'ouverture de la coquille. La plupart des espèces pondent leurs oeufs en masses gélatineuses sur les pierres ou plantes submergées.

GASTÉROPODES PROSOBRANCHES

GASTÉROPODES PULMONÉS

Escargot de rivière
Goniobasis virginica

2,5 cm

Coq. en cône. Répandu en Am. du N. Abondant localement. ►

Ratelle d'eau douce. *Ferrissia rivularis*
7,5 mm

À coq. dure, ou à coq. molle. du Connecticut à Virginie. ◄

Petit escargot d'étang
Amnicola limnosa
7,5 mm

Commun en eau calme d'Am. N. Coq. velue. ►

Gyraule hirsute
Gyraulus hirsutus
7,5 mm

Étangs et cours d'eau. D'Am. N. Abondant Est des Rocheuses. ◄

Commun en eau calme d'Am. N. Plusieurs esp. semblables. ►

Escargot globulaire
Helisoma anceps
1 cm

3,75 cm

Bigorneau
Viviparus intertextus

Eaux à fond boueux, de l'Est d'Am. du N. ◄

Importé d'Europe. Répandu dans l'Est. ►

2,5 cm

Coq. épaisse. Plusieurs esp. dans l'Est d'Am. N. ◄

Limnée auriculaire
Lymnaea auricularis
3,75 cm

Bigorneau en pointe
Campeloma subsolidum

Campeloma subsolidum

Coq. hab. mince. Eaux calmes du Centre Am. N. ; en Europe et Asie. ►

Limnée géante
Lymnaea stagnalis

Plus gros escargot d'Am. N. Étangs et fossés S.-E. des É.U. ►

Pomme des marais
Pomacea palu-osa
5 cm

6,25 cm

PALOURDES (Lamellibranches). Comprenant des espèces vivant dans la boue et le sable des étangs, lacs et cours d'eau. Abondantes dans les eaux de la vallée du Mississipi, mais rares à plus de 2 m de profondeur. Contrairement aux escargots, les palourdes n'ont pas de tête, de radule ou de tentacules. Deux ouvertures (siphons) sont situées à une extrémité de leur coquille bivalve. Un siphon laisse entrer l'eau, qui contient nourriture et oxygène dissous ; l'autre siphon rejette les déchets. Les oeufs fécondés de palourdes sont retenus dans une chambre spéciale chez l'adulte jusqu'à leur éclosion. Les adultes de certaines espèces peuvent contenir plus de trois millions d'embryons en développement. Les *glochidia*, larves des palourdes et moules d'eau douce, se fixent aux branchies et nageoires des poissons, y vivent en parasites pendant quelque temps avant de se laisser tomber sur le fond et s'y établir.

Plusieurs espèces de poissons se nourrissent de petites palourdes à coquille mince. Les visons, ratons laveurs et certaines tortues peuvent ouvrir celles à coquille épaisse et en manger l'intérieur.

PALOURDE D'EAU DOUCE. Esp. d'eau salée, installée en eaux douces ; Alabama au Texas.

Quelques bivalves d'eau douce ont une larve (glochidium), qui parasite les nageoires des poissons.

Les stries extérieures de la coquille sont des marques de croissance. À l'intérieur on peut voir la charnière.

Les palourdes creusent la boue ou le sable avec leur pied musculaire flexible. L'eau entre dans la coquille et en sort par des siphons tubulaires.

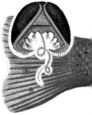

détail du glochidium

siphons

pied

MOULE PERLÉE. Centre et Est d'Am. du N. Coq. épaisse, utilisée pour les boutons de nacre.

jusqu'à 15 cm

Elliptio crassidens

Proptera alata
15 cm

◄ PROPTÈRE AILÉE
Centre et Est d'Am. N.
Hab. ailée à la charnière.

ANODONTES
Coq. mince. Partout en Am. N.

15 cm

LAMPSILE OVALE
Est. d'Am. N. Fortes bosses sur coq.

6,25 cm

Anodonta grandis

Eupera singleyi
1,25 cm

EUPÈRES
Coq. mince. Sud d'Am. N.

Lampsilis ovata

PALOURDE SPHÉRIQUE
Coq. assez épaisse.
Abondante partout en Am. N.

Pisidium dubium

Sphaerium simile

PISIDIES
Plusieurs esp. réparties en Am. N.

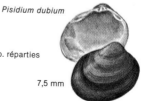

7,5 mm

1,25 cm

LAMELLIBRANCHES 117

AUTRES INVERTÉBRÉS. Groupes moins importants, parfois abondants dans les étangs et lacs. La plupart de ces animaux sont occasionnels et saisonniers, et on sait peu de choses de leurs habitudes ou de l'importance de leur rôle dans l'environnement aquatique.

NÉMERTIENS. Sont des vers effilés et non segmentés. Leur corps mou et plat mesure parfois plus de 2,5 cm. Leur longue trompe extensible fait parfois deux à trois fois la longueur du corps. Rampent le long des débris végétaux et se nourrissent de petits animaux et d'algues. Une seule espèce d'eau douce, répandue en Am. du N., abondante en automne. Beaucoup d'autres espèces sont marines.

NÉMATODES. Sont des vers ronds, hab. abondants sur les fonds boueux ou sablonneux, ou dans les masses de débris des étangs et lacs. Env. 1 000 espèces en eau douce. Hab. moins de 2,5 cm de long. Mouvement constant en coup de fouet, plaçant leur corps en S. Certains parasitent les crustacés ou même d'autres vers. D'autres sont prédateurs ou se nourrissent de plantes.

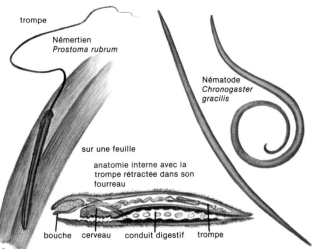

trompe

Némertien
Prostoma rubrum

Nématode
Chronogaster gracilis

sur une feuille

anatomie interne avec la trompe rétractée dans son fourreau

bouche   cerveau   conduit digestif   trompe

GASTROTRICHES. Animaux microscopiques vivant dans les débris du fond, accrochés par une sécrétion de leurs appendices caudaux. Env. 60% des quelque 200 espèces vivent en eau douce. Se nourrissent surtout d'algues. *Chaetonotus* est un exemple.

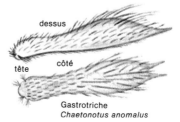

dessus

tête   côté

Gastrotriche
Chaetonotus anomalus

NÉMATOMORPHES (Dragonneaux). Communs en eaux calmes en été. Longs vers (jusqu'à env. 1 m) cylindriques, au corps comme un cheveu rude et nez aplati. Les femelles pondent des chapelets d'oeufs de près de 2,40 m de long. Les larves parasitent les crustacés, insectes et mollusques. Leur nom latin *Gordius* fait allusion au noeud gordien qui forment leurs enchevêtrements.

TARDIGRADES. Vivent parmi les grains de sable des plages humides et sur les plantes d'eau douce. Moins de 0,1 mm de long, leur corps est composé d'une tête et quatre segments. Chacune des quatre paires de pattes se termine par plusieurs pinces. Durant les saisons sèches, les tardigrades se recroquevillent et demeurent inactifs ou léthargiques jusqu'au retour de l'humidité. Se nourrissent de plantes ; sont la proie de protozoaires et autres petits animaux. Env. 40 esp. en Am. du N.

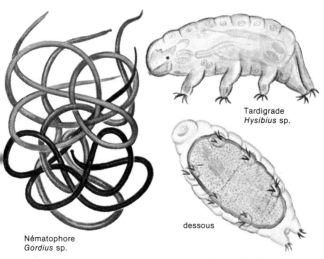

Tardigrade
Hysibius sp.

dessous

Nématophore
Gordius sp.

VERTÉBRÉS. Poissons, batraciens, reptiles, oiseaux et mammifères sont les plus gros et les plus connus des animaux. De nombreuses espèces sont adaptées à la vie en eau douce et sur les terres humides. Nous n'avons pas tenté de couvrir tous les ordres et familles des vertébrés. Les animaux que nous illustrons jouent un rôle important dans la vie d'un étang.

LAMPROIES. Poissons primitifs à squelette cartilagineux plutôt qu'osseux, ressemblant aux anguilles par leur forme et leur façon de nager. Leur bouche-ventouse circulaire est dépourvue de mâchoire articulée. Env. 10 esp. de lamproies vivent dans les cours d'eau et lacs du sud du Canada et à l'est du Mississipi, aux É.U. ; une espèce sur la côte du Pacifique. La plupart sont petites ; certaines sont parasites de poissons plus gros. La grande lamproie marine a envahi les Grands-Lacs, à partir de la mer, il y a plusieurs années, et a détruit l'industrie de la pêche commerciale de la touladi.

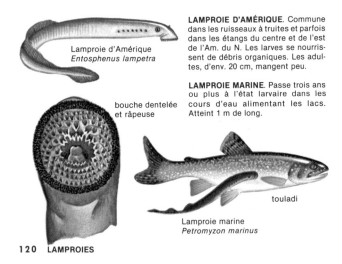

Lamproie d'Amérique
Entosphenus lampetra

bouche dentelée
et râpeuse

LAMPROIE D'AMÉRIQUE. Commune dans les ruisseaux à truites et parfois dans les étangs du centre et de l'est de l'Am. du N. Les larves se nourrissent de débris organiques. Les adultes, d'env. 20 cm, mangent peu.

LAMPROIE MARINE. Passe trois ans ou plus à l'état larvaire dans les cours d'eau alimentant les lacs. Atteint 1 m de long.

touladi

Lamproie marine
Petromyzon marinus

cycloïde-lisse à l'arrière

cténoïde-rugueuse à l'arrière

Ces 2 types d'écailles se chevauchent comme des bardeaux. Les crapets et autres poissons à rayons épineux ont des écailles cténoïdes ; les truites et autres poissons à rayons mous ont des écailles cycloïdes.

POISSONS OSSEUX. Le poisson osseux a des écailles enchâssées dans la peau, des nageoires tendues par des rayons et le corps caréné. À mesure que l'eau passe dans sa bouche et en ressort par ses branchies, l'oxygène dissous dans l'eau est échangé contre le gaz carbonique provenant du sang du poisson. Les écailles des poissons ont des raies concentriques. Une croissance rapide rend ces raies plus espacées ; la croissance, réduite en hiver, fait qu'elles sont plus rapprochées. On peut déterminer l'âge du poisson en comptant ces anneaux de croissance.

Certains poissons se nourrissent d'algues et d'autres plantes. Les jeunes poissons et certains adultes mangent de grandes quantités de petits invertébrés. D'autres, comme l'achigan et le brochet, mangent des têtards, des poissons et autres gros animaux aquatiques.

Les poissons les plus communs sont illustrés ici. Vous trouverez d'autres espèces dans le guide *Les Poissons*, collection « La nature en poche ».

OMBLE DE FONTAINE, (fam. des Salmonidés). A du blanc sur le rebord avant de ses nageoires. Originaire des eaux froides de l'est de l'Am. du N., elle est maintenant largement implantée. Pèse en moyenne 90 g ; peut atteindre 4,5 kg.

TRUITE ARC-EN-CIEL. Se nourrit d'insectes, mollusques, crustacés et poissons. Originaire de l'ouest de l'Am. du N., on l'a introduite dans les eaux froides de l'Est. Pèse en moyenne 1 kg, mais peut atteindre 18 kg.

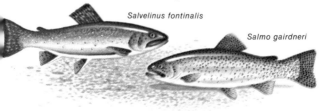

Salvelinus fontinalis

Salmo gairdneri

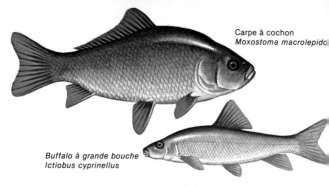

Carpe à cochon
Moxostoma macrolepidc

Buffalo à grande bouche
Ictiobus cyprinellus

BUFFALOS. Fam. des suceurs, comportant quelque 60 esp. en Am. du N. Se nourrissent hab. au fond, de mollusques, insectes et plantes. Il peut peser jusqu'à 30 kg, mais est hab. plus petit. Sa bouche est orientée vers le haut contrairement aux autres suceurs.

SUCET DE LAC. Dans les eaux tranquilles, des Grands-Lacs au Texas, vers l'Est. Nageoire caudale rouge quand il est jeune. Fouille la boue du fond à la recherche d'insectes et autres organismes. Fraye au début du printemps, les femelles dispersant les oeufs au fond. Atteint 500 g.

MOXOSTOME (Carpe). Fam. des suceurs. Commun dans les lacs et cours d'eau paresseux du centre et de l'est de l'Am. du N. Pèse hab. 500 g ou moins, mais peut atteindre 4 kg. Dans certaines régions, sa chair est très appréciée.

CATOSTOMES NOIRS (Carpe ronde). Vivent dans les grands et petits lacs et cours d'eau partout au centre et à l'est de l'Am. du N. Se nourrissent de larves d'insectes, autres petits animaux, et de plantes, aspirées par le poisson se nourrissant au fond.

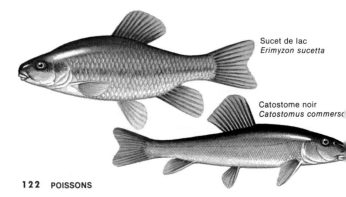

Sucet de lac
Erimyzon sucetta

Catostome noir
Catostomus commersc

CHATTE DE L'EST, (fam. des ménés), Vit partout au centre et à l'est de l'Am. du N. Se nourrit surtout d'algues et de minuscules animaux. On se sert communément des ménés comme appât ou comme nourriture dans les piscicultures. Peut atteindre plus de 30 cm.

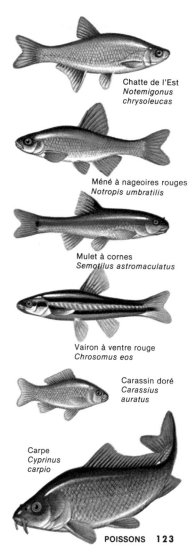

Chatte de l'Est
Notemigonus chrysoleucas

MÉNÉ À NAGEOIRES ROUGES. Mesure env. 8 cm. Vit au centre et à l'est de l'Am. du N. Comme beaucoup d'autres ménés, il est un important lien alimentaire entre le plancton et les gros poissons.

Méné à nageoires rouges
Notropis umbratilis

MULET À CORNES. Gros méné, jusqu'à 25 cm, commun dans les cours d'eau et certains lacs et étangs partout au centre et à l'est de l'Am. du N. On le prend parfois à l'hameçon. Se nourrit surtout d'insectes.

Mulet à cornes
Semotilus astromaculatus

VAIRON À VENTRE ROUGE. Un des ménés les plus communs des eaux acides des tourbières et étangs du centre et de l'est de l'Am. du N. Se nourrit d'algues et de débris végétaux. Atteint env. 8 cm.

Vairon à ventre rouge
Chrosomus eos

CARPE ET CARASSIN DORÉ (fam. des ménés). La carpe, originaire d'Asie, a été introduite en Am. du N. vers 1870. Le carassin (poisson rouge) vient aussi d'Asie. Les deux ont connu une large distribution. La carpe, pesant env. 10 kg, est omnivore. Les carassins dorés trouvés à l'état sauvage sont ceux libérés des aquariums. Ils perdent bientôt leur couleur, devenant blancs ou tachetés.

Carassin doré
Carassius auratus

Carpe
Cyprinus carpio

Crapet vert
Lepomis cyanellus

Crapet harlequin
Lepomis macrochirus

Crapet-soleil
Lepomis gibbosus

Crapet bouche-en-guerre
Chaenobryttus gulosus

Crapet à taches orange
Lepomis humilis

CRAPET VERT (fam. des Achigans). Côtés aplatis et corps comprimé. Largement répandu en Am. du N. Se nourrit d'insectes et petits crustacés. Fraye en colonies au milieu de l'été, les mâles creusant, avec leurs nageoires, un nid en forme de soucoupe dans le sable. Long. moyenne de 10-15 cm.

CRAPET HARLEQUIN (à oreilles bleues). Commun dans les étangs de ferme et dans d'autres eaux. Se nourrit d'insectes, crustacés et autres petits animaux. Une grosse femelle peut pondre plus de 60 000 œufs par période de frai, mais seuls quelques-uns des nombreux alevins survivront. Mesure de 20 à 30 cm ; pèse jusqu'à 500 g.

CRAPET-SOLEIL. Semblable au précédent, mais a une tache rouge clair sur chaque opercule. Vit dans les eaux herbeuses du centre et du sud de l'Am. du N., à l'est des Rocheuses. Les hybrides de cette espèce avec les deux précédentes sont difficiles à identifier.

CRAPET BOUCHE-EN-GUERRE. Vit dans les eaux tranquilles d'Am. du N., du Mississipi vers l'Est, dans les étangs à fond boueux. Comme les autres crapets, il se nourrit d'insectes et de petits poissons. Mesure entre 20 et 25 cm.

CRAPET À TACHES ORANGE. Vit dans la végétation, près de dépressions, des eaux tranquilles du centre et de l'est de l'Am. du N., se nourrit d'insectes et de crustacés. Atteint env. 10 à 12 cm.

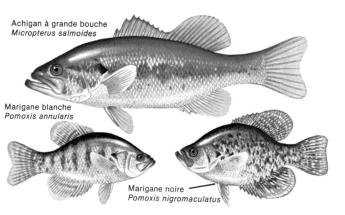

Achigan à grande bouche
Micropterus salmoides

Marigane blanche
Pomoxis annularis

Marigane noire
Pomoxis nigromaculatus

ACHIGAN À GRANDE BOUCHE. Un des plus gros de la famille. Commun dans les étangs, lacs et cours d'eau paresseux partout au centre et au sud de l'Am. du N. Se nourrit de petits poissons. Pèse 1 à 2 kg, mais dans le Sud, atteint plus de 8 kg.

MARIGANE noires et blanches sont largement répandues en Am. du N. La marigane blanche a des rayures foncées sur les côtés et vit en eau moins limpide que la noire. Se nourrissent de poissons, insectes et crustacés. Atteignent parfois 2 kg, mais pèsent hab. 0,5 à 1 kg.

PERCHAUDE. Fam. des perches, comme les dorés et les dards. Vit dans les étangs et lacs des régions froides d'Am. du N., en eau profonde le jour et peu profonde la nuit. Se nourrit de poissons plus petits, crustacés et petits animaux. Mesure env. 30 cm et pèse 500 g.

DARD NOIR. Une des quelque 100 espèces de dards, vivant dans les cours d'eau. Certains ne mesurent pas plus de 2,5 cm ; d'autres atteignent 12 cm. Le mâle comme ceux de certaines autres, bâtit un nid et garde les oeufs jusqu'à leur éclosion.

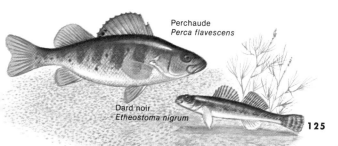

Perchaude
Perca flavescens

Dard noir
Etheostoma nigrum

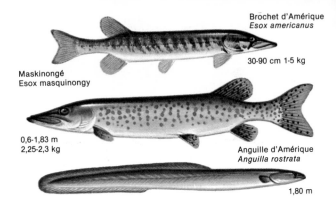

Brochet d'Amérique
Esox americanus

30-90 cm 1-5 kg

Maskinongé
Esox masquinongy

0,6-1,83 m
2,25-2,3 kg

Anguille d'Amérique
Anguilla rostrata

1,80 m

BROCHETS. Poissons effilés des cours d'eau et eaux calmes. Ils ont des mâchoires aplaties, et se nourrissent de poissons et autres petits animaux. Certains, comme le grand brochet et le maskinongé sont populaires auprès des pêcheurs sportifs.

ANGUILLE D'AMÉRIQUE. A de minuscules écailles enfoncées dans la peau. Elle nage en serpentant et est plus active la nuit. Se nourrit d'autres poissons. Peuvent atteindre 2 m de long. Vont frayer à la mer et les petits remontent les cours d'eau vers les étangs et lacs.

FONDULE BARRÉ (petit barré). Fam. des cyprinodons vivant en eaux douces et salées. Tête aplatie et bouche orientée vers le haut ; se nourrit à la surface de minuscules plantes et animaux. Le fondule barré vit dans les eaux nordiques. Poisson robuste de 8 à 10 cm pouvant être élevé en aquarium.

GAMBUSIES. Cyprinodons d'env. 5 cm de long, se nourrissant à la surface et qu'on a largement introduits pour lutter contre les moustiques. Les gambusies se reproduisent durant tout l'été, donnant naissance à des alevins déjà formés. Les mâles sont beaucoup plus petits que les femelles. Originaires du sud de l'Am. du N. vers le Sud.

femelle

Fondule barré
Fundulus diaphanus

mâle   Gambusie
Gambusia affinis

POISSONS

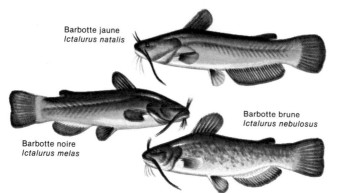

Barbotte jaune
Ictalurus natalis

Barbotte brune
Ictalurus nebulosus

Barbotte noire
Ictalurus melas

BARBOTTES (poissons-chats). Vivent dans les étangs et cours d'eau partout en Am. du N. Elles ont une peau douce et sans écailles, et un rayon épineux à l'avant de la nageoire dorsale et des pectorales. Les barbillons sont des organes sensoriels aidant le poisson à trouver sa nourriture consistant surtout en petits animaux des fonds vaseux. Les barbottes se nourrissent la nuit ou dans les eaux troubles ; leurs yeux sont petits. La plus commune est la barbotte noire. La barbotte jaune vit en eau plus claire que les barbottes brune ou noire. Toutes sont comestibles. Pèsent en moyenne 250 à 500 g et mesurent 30 cm.

BARBUE DE RIVIÈRE. La plupart des vrais poissons-chats vivent dans les cours d'eau, mais le barbue de rivière vit dans les lacs et on en a ensemencé des étangs. Sa nageoire caudale est profondément encochée. Sa chair est comestible et ferme, spécialement si on le pêche en eau froide. Pèse hab. 1 à 2 kg.

BARBOTTE DES RAPIDES. mesurant hab. 7 à 10 cm, est un petit poisson-chat des eaux calmes et herbeuses. La glande venimeuse de ses nageoires pectorales peut infliger une blessure douloureuse. Sa petite nageoire adipeuse est réunie à sa nageoire caudale, au lieu d'en être séparée, comme chez les autres poissons-chats.

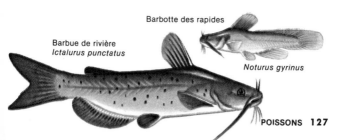

Barbotte des rapides

Noturus gyrinus

Barbue de rivière
Ictalurus punctatus

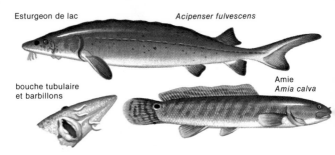

Esturgeon de lac — *Acipenser fulvescens*

bouche tubulaire et barbillons

Amie
Amia calva

ESTURGEON DE LAC. L'une des nombreuses espèces d'esturgeons d'Am. du N. Des barbillons sensitifs l'aident à déceler la présence de petits animaux vivant au fond et dont il se nourrit. Sa bouche est prolongée par un tube. Atteint 1,20 m et 25 kg.

LÉPISOSTÉS. Longs poissons effilés et prédateurs des eaux calmes à l'est des Rocheuses. Ont des dents aiguës et d'épaisses écailles. Le lépisosté-alligator du Sud, atteint 3 m et 50 kg. Le lépisosté osseux, dont les mâchoires sont 2 fois plus longues que sa tête, peut atteindre 1,50 m ; vit en eau nordique, avec le lépisosté à museau court. Les lépisostés tacheté et de Floride ne vivent que dans les eaux du Sud.

AMIE (poisson-castor). Vit en eau paresseuse, partout dans l'est de l'Am. du N. Féroce carnivore ; atteint 1 m de long. Identifiable par sa longue nageoire dorsale. Les adultes prennent soin de leurs petits. Pèse env. 7 kg.

ALOSE À GÉSIER. De la fam. du hareng qui comprend le hareng et d'autres esp. marines. Se nourrit de plancton, filtré par les mailles en tamis des extensions, ou arcs de ses branchies. Vit hab. en bancs au centre et à l'est de l'Am. du N. Sert de nourriture à des esp. plus grosses. Poids moyen de 500 g à 1,50 kg.

Lépisosté osseux
Lepisosteus osseus

Alose à gésier
Dorosoma cepedianum

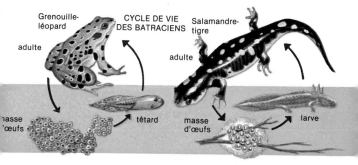

Grenouille-léopard
CYCLE DE VIE DES BATRACIENS
Salamandre-tigre
adulte
adulte
masse d'œufs
têtard
masse d'œufs
larve

BATRACIENS. Ont hab. quatre pattes ; quelques espèces, n'en ont que deux ou aucune. Les grenouilles et crapauds adultes n'ont pas de queue ; les tritons et salamandres en ont une. Les batraciens vivent surtout dans l'eau ou les endroits humides, car leur peau leur procure peu de protection contre la sécheresse. Dans un cycle typique de vie, tel qu'illustré en haut, il existe un stade larvaire à branchies qui est entièrement aquatique. Par la suite, la larve (le têtard chez les grenouilles et les crapauds) se transforme en adulte. Certains batraciens adultes vivent sur terre ; d'autres demeurent aquatiques.

On remarque davantage les batraciens au printemps et au début de l'été, quand ils se rassemblent dans les hauts-fonds des étangs et lacs pour se reproduire et pondre. Les chœurs de grenouilles sont assourdissants, surtout la nuit ou après une pluie. Les salamandres et les tritons s'accouplent aussi au printemps. Les oeufs sont pondus en chapelets ou en masses de gelée dans les hauts-fonds. Les jeunes batraciens, particulièrement les têtards, se nourrissent d'algues. Les adultes mangent des insectes, vers ou autres petits invertébrés. Ils sont la proie des poissons, serpents, oiseaux et de certains mammifères.

Certains des batraciens communs des étangs et lacs sont illustrés dans les pages suivantes. Pour obtenir des informations supplémentaires, consultez notre *Guide des batraciens de l'Amérique du Nord*, de Smith et Barlowe.

SALAMANDRES. Batraciens à queue ; certaines vivent dans l'eau ; d'autres sur terre et retournent à l'eau pour y pondre. Les larves ressemblent à des adultes miniatures. Des spécimens des quelque 85 espèces d'Am. du N. sont illustrés ici.

Sirène lacertine
Siren lacertina

Necture tacheté
Necturus maculosus

Salamandre-alligator
Cryptobranchus alleganiensis

SIRÈNES. Ressemblent à des anguilles, sont fortes de corps et dépourvues de pattes arrière. Ont des branchies plumeuses. Vivent dans les marais peu profonds et les étangs de la vallée du Mississipi et de la côte sud-est. Atteignent 60 cm. Peuvent mordre quand on les provoque.

NECTURES TACHETÉS. De l'est de l'Am. du N., atteignent env. 30 cm et gardent leurs branchies même à l'état adulte. Se nourrissent de poissons, écrevisses, insectes et mollusques.

SALAMANDRES-ALLIGATORS. Salamandres aquatiques à branchies vivant princ. dans les eaux douces de la vallée de l'Ohio. Se nourrissent d'écrevisses et autres petits animaux. Mesurent env. 45 cm.

triton vert *Notophthalmus viridescens*

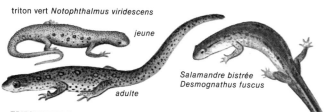

jeune

adulte

Salamandre bistrée
Desmognathus fuscus

TRITON VERT. De l'est de l'Am. du N. jusqu'aux Plaines, a la peau rude. Les jeunes sont rouges et vivent sur terre. 7 à 10 cm de long.

SALAMANDRE MACULÉE. Vit dans l'humus doux et humide ou les débris de feuilles au centre et à l'est de l'Am. du N. Se reproduit dans les étangs et pond de grandes masses d'oeufs. Atteint 18 cm.

SALAMANDRE DES VASIÈRES. S'enfonce dans la boue des sources d'étangs frais ou de petits cours d'eau, au centre et à l'est des É.U. Atteint 7 à 12 cm.

SALAMANDRE CENDRÉE. Commune en Am. du N. (une forme de l'Ouest est parfois considérée comme une esp. distincte). Vit dans les endroits humides sous les pierres, les billots et les débris. Atteint 10 cm.

SALAMANDRE À DEUX LIGNES. Vit dans les endroits humides de l'est de l'Am. du N. Se cache hab. le jour. Se nourrit de vers, insectes et larves. Env. 8 cm.

SALAMANDRE BISTRÉE. 7 à 12 cm de long ; Vit dans l'est des É.U. Son coloris peut varier. Dépourvue de poumons, elle « respire » par sa peau et les tissus de sa bouche. Vit dans les endroits humides sur terre, souvent dans l'eau ou à proximité.

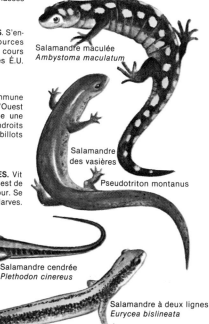

Salamandre maculée
Ambystoma maculatum

Salamandre
des vasières

Pseudotriton montanus

Salamandre cendrée
Plethodon cinereus

Salamandre à deux lignes
Eurycea bislineata

GRENOUILLES ET CRAPAUDS. Batraciens sans queue, pattes arrière adaptées pour sautiller (crapauds) ou bondir (grenouilles), de même que pour nager. La reproduction a lieu dans l'eau ou à proximité et les petits s'y développent. Les adultes de nombreuses espèces passent presque toute leur vie dans ou près de l'eau. Le têtard familier, dépourvu de membres et de vraies dents, est un stade larvaire entièrement aquatique. Le changement du têtard à l'adulte peut prendre de quelques semaines à presque deux ans, selon les espèces. Voici des représentants des quelque 70 espèces d'Amérique du N.

CRAPAUD D'AMÉRIQUE. Court (5 à 10 cm), trapu et plus terrestre qu'aquatique. Vit au centre et à l'est de l'Am. du N. Se reproduit au printemps et au début de l'été, pondant de longs chapelets d'œufs dans l'eau. Le crapaud de l'Ouest est plus verruqueux. La pupille de l'œil est horizontale.

CRAPAUD DE FOWLER. Du Massachusetts à l'Iowa et vers le Sud ; 5 à 7 cm de long. Sa peau est sèche et verruqueuse, mais ne cause pas de verrues. Le crapaud de Woodhouse, de l'Ouest, est presque identique.

CRAPAUDS PIEDS-EN-BÊCHE (plusieurs esp.) Vivent dans le centre de l'Am. du N. Hab. pas plus de 7 cm de long, ces crapauds vivent loin de l'eau, mais se rendent toujours à des étangs ou flaques pour se reproduire et pondre. La pupille de l'œil est verticale.

Crapaud d'Amérique
Bufo americanus

Crapaud de Fowler
Bufo fowleri

pieds-en-bêche de Holbrook
Scaphiopus holbrooki

OUAOUARON. La plus grosse des grenouilles d'Am. du N. ; atteint 20 cm. Sa membrane tympanique est aussi grosse que l'oeil ou davantage. Son appel est un « or-woum » retentissant. Vit dans les endroits herbeux le long des étangs et lacs. Se reproduit de mai à juillet dans le Nord, plus tôt dans le Sud. Les têtards atteignent leur maturité à deux ans.

GRENOUILLE VERTE mâle a des tympans voyants — environ la taille de l'oeil. Se nourrit d'insectes, vers et autres petits animaux. Originaire du centre et de l'est de l'Am. du N., elle a été introduite dans les États de l'Ouest. Atteint 8 cm.

GRENOUILLE DES MARAIS. Esp. de l'Est ; marques rectangulaires et taches rougeâtres aux pattes et le long des côtés. Mesure env. 8 cm. La grenouille à pattes rouges, un peu plus grosse, vit sur la côte ouest.

GRENOUILLE-LÉOPARD. Vit dans les étangs et endroits humides ; s'éloigne souvent de l'eau en été. La plus commune en Am. du N. Taches foncées cerclées de blanc.

Ouaouaron
Rana catesbeiana

Grenouille verte
Rana clamitans

Grenouille des marais
Rana palustris

Grenouille-léopard
Rana pipiens

TÊTARDS

Crapaud d'Amérique

Grenouille-léopard

Grenouille des marais

Ouaouaron

Grenouille verte

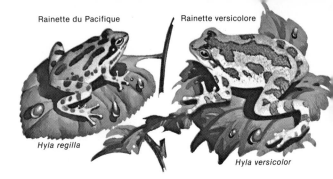

Rainette du Pacifique

Rainette versicolore

Hyla regilla

Hyla versicolor

RAINETTE DU PACIFIQUE. Mesure env. 5 cm. Vit hab. près des plans d'eau dans tout l'ouest de l'Am. du N. Plus commune sur le sol que dans les arbres. Se reproduit de janvier à la mi-mai.

RAINETTE CRUCIFÈRE. Env. 4 cm. Au début du printemps, les étangs des terres boisées de l'Est retentissent des appels d'accouplement stridents des mâles. On les voit rarement en dehors de cette période.

RAINETTE VERSICOLORE. Env. 7 cm. Vit dans tout l'est de l'Am. du N., sauf en Floride. Commune le long des cours d'eau et étangs, dans les endroits boisés. Pond à la surface des eaux calmes et peu profondes des étangs et lacs.

RAINETTE VERTE. Env. 5 cm. Appel semblable au son d'une cloche. Vit sur les feuilles ou les tiges des plantes dans ou près des étangs, lacs et cours d'eau du sud-est de l'Am. du N. Vert clair à jaune verdâtre.

Rainette crucifère
Hyla crucifer

Rainette verte
Hyla cinerea

Têtard

Rainette-criquet du Sud

Rainette faux-criquet du Sud

Acris gryllus

Pseudacris nigrita

RAINETTE-CRIQUET. Rainette verruqueuse d'env. 2,5 cm, répandue au centre et à l'est de l'Am. du N. Coloris variant selon son habitat. Appel grinçant commun sur les bords herbeux des cours d'eau et étangs. Se reproduit de février à octobre.

RAINETTE FAUX-CRIQUET DU SUD. Se reproduit dans les étangs et fossés au printemps, puis gagne des terrains plus élevés pour le reste de l'année. Env. 2,5 cm. Vit dans le centre de l'Am. du N. Dans le Sud-Ouest, elle habite les montagnes où il fait plus frais.

RAINETTE FAUX-CRIQUET ORNÉE. Vit dans le sud-est des É.U. Se reproduit dans les fossés herbeux et le long des étangs, hab. à la fin de l'hiver. On sait peu de choses sur ses oeufs et têtards. Env. 2,5 cm.

RAINETTE FAUX-CRIQUET DE STRECKER. A un masque noir ; est plus grosse (près de 4 cm) que la plupart des rainettes faux-criquets. Commune près des étangs et lacs du centre-sud de l'Am. du N. Se reproduit à la fin de l'hiver ou au début du printemps.

Rainette faux-criquet ornée
Pseudacris ornata

Rainette faux-criquet de Strecker
Pseudacris streckeri

oeufs et petit de la
tortue à oreilles rouges
(p. 138)

REPTILES. Sont protégés par des écailles ou des plaques
cornées. La plupart pondent des oeufs recouverts d'une
coquille coriace. Chez quelques espèces, les oeufs sont
gardés à l'intérieur du corps de la femelle jusqu'à leur éclosion. La plupart des reptiles ont deux paires de pattes ;
mais les serpents et quelques lézards n'en ont pas. Sauf
les tortues, tous ont des dents. Trois des quatre principaux
groupes tortues, crocodiliens et serpents vivent dans les
étangs et lacs.

Les serpents et quelques tortues sont des carnivores
occupant le sommet des chaînes alimentaires aquatiques,
car ils se nourrissent de petits animaux aquatiques et sont
eux-mêmes rarement mangés. Les biologistes croient que
la plupart des poissons mangés par les reptiles et par les
oiseaux aquatiques sont faibles ou malades et que la population des poissons n'en souffre pas.

ALLIGATOR AMÉRICAIN. Vit dans
les étangs, cours d'eau et les terres
humides du Sud-Est. Les alligators
de 2 à 3 m sont maintenant devenus
rares. La femelle bâtit un grand nid
de débris près de l'eau et y garde ses
oeufs et ses petits.

Alligator américain
Alligator mississippiensis

TORTUES. Reptiles les plus caractéristiques des étangs et lacs. Leur carapace est formée par le plastron, et la dossière réunis par un pont des deux côtés. La plupart des tortues peuvent rétracter partiellement ou complètement leur tête et leurs pattes à l'intérieur de leur carapace pour se protéger. Elles ont des mâchoires osseuses acérées, mais édentées. La femelle creuse un trou dans la terre ou le sable, y pond ses oeufs, les recouvre, puis les abandonne. Les oeufs sont incubés par la chaleur du soleil.

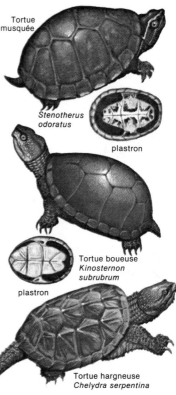

Tortue musquée

TORTUE MUSQUÉE. Ainsi nommée à cause de l'odeur de musc qu'elle sécrète quand elle est dérangée. Petit plastron réuni sur le devant ; carapace hab. de couleur terne. Vit de l'Atlantique au Wisconsin vers le Sud, jusqu'au golfe du Mexique. 7 à 10 cm.

Stenotherus odoratus

plastron

TORTUES BOUEUSES. Ont deux ponts au plastron, la tête et les membres peuvent ainsi être rétractés. Se nourrissent d'insectes et autres petits animaux. Des 5 esp., la tortue boueuse de l'Est est la plus commune. 7 à 10 cm.

TORTUE HARGNEUSE. Peut atteindre 15 kg, mais est hab. plus petite. Carapace de 25 à 30 cm, petit plastron, une grosse tête et une longue queue. S'enfonce souvent dans la vase ; se chauffe rarement au soleil. Mange autant de plantes que d'animaux. Très répandue aux É.U., la tortue-alligator du Sud, peut atteindre 70 kg.

Tortue boueuse
Kinosternon subrubrum

plastron

plastron

Tortue hargneuse
Chelydra serpentina

Pseudémyde de Floride
Pseudemys floridana

Tortue à oreilles rouges
Pseudemys scripta

Pseudémyde à
ventre rouge
*Pseudemys
rubriventris*

PSEUDÉMYDES. Tortues friandes de soleil, vivant au centre et à l'est de l'Am. du N. ; surtout herbivores. Les individus âgés ont hab. la carapace plissée (env. 30 cm de long) et l'arrière du plastron encoché. La tortue à oreilles rouges a une tache rouge ou jaune derrière chaque oeil, et le dessous de sa mâchoire inférieure est aplati. La pseudémyde de Floride a des taches ou d'étroites bandes sur la longueur de sa tête. Sa mâchoire inf. est arrondie. La pseudémyde à ventre rouge a du rouge ou orange sur le plastron et seulement quelques lignes sur la tête.

Tortue peinte
Chrysemys picta

TORTUES PEINTES. Vivent en eau peu profonde et herbeuse partout aux É.U. et au sud du Canada ; ont une carapace lisse et aplatie. L'esp. des É.U. est très répandue, et ses couleurs et les marques de son plastron varient selon son habitat. Se nourrit princ. de matières végétales, mais mange aussi de petits animaux, morts ou vivants. 12 à 15 cm.

Ouest

Est

TORTUE PONCTUÉE. Vit dans les étangs, marécages et fossés du centre de l'Am. du N. Quand elle ne se chauffe pas au soleil, elle fouille paresseusement les plantes ou erre sur la berge. Se nourrit princ. d'insectes, mais mange aussi d'autres petits animaux. À l'éclosion, n'ont qu'une tache jaune par plaque de leur carapace ; les adultes en ont plus d'une. 7 à 12 cm.

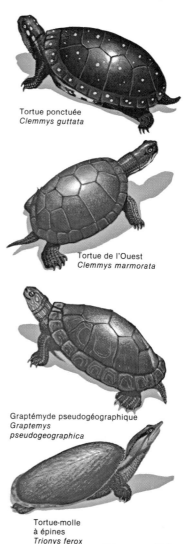

Tortue ponctuée
Clemmys guttata

TORTUE DE L'OUEST. Atteint env. 15 cm. Vit de la Colombie-Britannique à la Basse-Californie. Carapace foncée à taches jaunes ; plastron jaunâtre. Se nourrit de petits animaux et de certaines plantes.

Tortue de l'Ouest
Clemmys marmorata

TORTUES GÉOGRAPHIQUES. (9 esp.) vivant au centre et à l'est de l'Am. du N. Tortues timides se chauffant au soleil ; certaines ornées de jolis dessins. Se nourrissent surtout de moules et d'escargots, qu'elles écrasent dans leurs mâchoires, et en moindre quantité de crustacés et d'autres petits animaux vivant dans les étangs et lacs. Carapace de 22 à 25 cm.

Graptémyde pseudogéographique
Graptemys pseudogeographica

TORTUES MOLLES. Sont très aplaties. Leur dossière est recouverte d'une peau coriace et molle, laissant un large rebord mou. Deux esp. sont très répandues en Am. du N., à l'est des Rocheuses. Plus communes dans les cours d'eau que dans les étangs et lacs. Ont un long cou serpentin et peuvent mordre férocement. La tortue molle à épines a des bosses sur le bord avant de sa carapace. 30 cm ou plus.

Tortue-molle
à épines
Trionys ferox

SERPENTS. Certains vivent sous les pierres ou les débris le long des berges ; d'autres dans l'eau. Ils se nourrissent princ. de grenouilles, têtards, poissons, écrevisses, vers et insectes. Certains serpents pondent des oeufs à coquille dure dans l'humus ou la terre meuble le long de la berge. D'autres, y compris les couleuvres et couleuvres d'eau, donnent naissance à leurs petits.

COULEUVRE D'EAU DU NORD. A le corps épais de couleur variable et, bien qu'inoffensive, réagit vivement. Du centre et de l'est de l'Am. du N. Se chauffe au soleil sur les branches ou les pierres. Env. 90 cm.

COULEUVRE ROYALE. Couleuvre d'eau effilée vivant au centre de l'Am. du N. Se nourrit d'écrevisses. Ne se chauffe pas aussi souvent au soleil que les autres couleuvres d'eau. Atteint 90 cm.

COULEUVRE D'EAU VERTE. Vit dans les eaux calmes et les marécages de la Caroline du Sud au Texas et en Indiana. Comme les autres couleuvres d'eau, donne naissance à ses petits. Env. 1 m.

COULEUVRE D'EAU DIAMANTINE. Abondante dans la vallée du Mississipi. Atteint 1,20 m, mais est généralement plus petite. Ressemble au mocassin d'eau (p. 142), mais est plus active.

Couleuvre d'eau du Nord
Nerodia sipedon

Couleuvre d'eau verte
Nerodia cyclopion

Couleuvre royale
Regina septemvittata

Nerodia rhombifera

Couleuvre d'eau diamantine

La plupart des serpents vivant près de l'eau sont inoffensifs, bien que certains puissent mordre. En Am. du N., le seul serpent venimeux vraiment aquatique est le mocassin d'eau (p. 142), mais la vipère cuivrée et plusieurs espèces de crotales se nourrissent souvent le long des berges. Ce sont des vipères identifiables par leur pore profonde de chaque côté de la tête entre l'oeil et la narine, et par leurs étroites pupilles verticales. Elles ont la tête triangulaire, mais certains serpents inoffensifs l'ont aussi.

COULEUVRE NOIRE DES MARAIS. Vit en Caroline du Sud et jusqu'en Floride, le long des berges et se nourrit de vers, grenouilles et autres petits animaux. Atteint env. 30 cm.

COULEUVRE RAYÉE DES MARAIS. Légèrement plus longue que la noire (45 cm) ; vit dans le même habitat et a les mêmes habitudes. Corps plus robuste ; ventre jaune.

COULEUVRE ARC-EN-CIEL. Serpent au corps épais, rayé des marais du Maryland vers le Sud. Ses rayures peuvent varier de l'orange au rouge ; queue pointue et cornée. Atteint 1 m.

COULEUVRE MOSAÏQUE. Vit le long de la côte atlantique et du golfe du Mexique et dans la vallée du Mississipi. Dos noir luisant ; mosaïques sur son ventre rouge. Sa queue se termine par une épine pointue. S'enfonce dans la boue. Atteint 1,20 m.

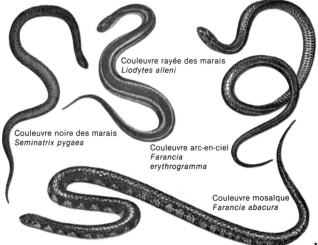

Couleuvre rayée des marais
Liodytes alleni

Couleuvre noire des marais
Seminatrix pygaea

Couleuvre arc-en-ciel
Farancia erythrogramma

Couleuvre mosaïque
Farancia abacura

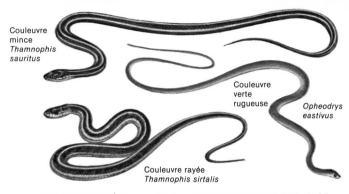

Couleuvre mince
Thamnophis sauritus

Couleuvre verte rugueuse
Opheodrys eastivus

Couleuvre rayée
Thamnophis sirtalis

COULEUVRES RAYÉES, comprenant près d'une douz. d'esp. (45 à 90 cm), sont largement répandues à l'est et au centre de l'Am. du Nord. La couleuvre mince, de l'Est, est semi-aquatique. Ces couleuvres sont communes le long des berges, particulièrement par temps sec. Mangent des vers, des poissons, des têtards et d'autres petits animaux.

MOCASSIN D'EAU, dans tout le Sud, est un serpent venimeux, paresseux et au corps épais. Mesure en moyenne 90 cm et se nourrit de divers petits animaux aquatiques, y compris des poissons. Si on le dérange, il ouvre la bouche et en déploie l'intérieur d'un blanc cotonneux.

COULEUVRE VERTE RUGUEUSE, qu'on trouve dans le sud du New Jersey à la côte du golfe du Mexique, vit parmi les plantes du rivage, mais peut se mettre à l'eau pour échapper à ses ennemis ou poursuivre une proie. La couleuvre verte douce est moins commune près de l'eau. Les 2 esp. se nourrissent d'insectes et d'araignées. Mesurent jusqu'à 1 m.

SERPENT À SONNETTE NAIN. Atteint 45 cm. Serpent venimeux à pores, des terres humides et des berges des étangs du sud et de l'est de l'Am. du Nord. Le crotale des jonchaies (jusqu'à 1,80 m) vit aussi dans les terres basses du Sud. Le massasauga vit dans les tourbières du centre de l'Am. du N. ; atteint 75 cm.

Mocassin d'eau
Agkistrodon piscivorus

Serpent à sonnette nain
Sistrurus miliarius

Certains groupes d'**OISEAUX** sont semi-aquatiques, nichant le long des étangs, lacs et cours d'eau, et se nourrissant de plantes aquatiques ou de poissons, crustacés et autres animaux. Les plus remarquables sont les oiseaux de rivages (hérons, bécasseaux pp. 146-150), aux longues pattes, et les oiseaux aquatiques (cygnes, oies, canards pp. 143-145), aux pattes palmées. Les oiseaux aquatiques flottent, soutenus par l'air enfermé dans leurs plumes. L'huile sécrétée par une glande spéciale et lissée dans leurs plumes empêche l'eau de s'y infiltrer.

De nombreux oiseaux visitent les étangs et les terres humides pour se nourrir et nichent le long des rives ; entre autres, les faucons, hiboux, hirondelles, mainates, grives, fauvettes et autres oiseaux percheurs. Quelques-uns sont illustrés ici. Les dimensions notées sont la longueur et, parfois, l'envergure (e). Voir aussi notre *Guide des oiseaux d'Amérique du Nord*, de Robbins.

CYGNES. Les plus gros oiseaux aquatiques, ont un long cou et se nourrissent de végétation en submergeant leur tête et leur cou. Le cygne siffleur niche dans l'Arctique et hiverne sur les côtes pacifique et atlantique centrales. Le cygne trompette, seule autre esp. originaire d'Am. du N., est un oiseau de l'intérieur des terres.

OIES. Hab. légèrement plus petites que les cygnes, forment des vols migrateurs en « V ». La plus commune est la bernache du Canada. Les autres esp. moins communes d'Am. du N. sont les oies blanche et à front blanc.

Cygne siffleur
Cygnus columbianus

Bernache du Canada
Branta canadensis

90 cm, 2,12 m (e)

40-60 cm, 1,20-1,70 m (e)

Canard huppé
Aix sponsa
34 cm, 70 cm (e)

Canard pilet
Anas acuta
46 cm, 87 cm (e)

femelle

mâle

CANARDS DE SURFACE. Ont un bec large et aplati. Mâles et femelles ont un plumage distinct ; au début de l'été, les mâles adoptent un plumage terne qui sera remplacé à l'automne. Ces canards s'envolent directement de la surface, quelques esp. bondissant de plus d'un mètre à la verticale. Se nourrissent en surface, princ. de plantes aquatiques ; peuvent manger le bout des plantes en eau profonde. Comprenant les canards chipeau, siffleur d'Amérique, souchet et noir.

Le canard huppé niche hab. dans les troncs creux et les nichoirs près de l'eau. Hiverne au sud des É.U. et au Mexique.

Le canard pilet est rapide et gracieux, les mâles étant pourvus de longues plumes caudales. Se reproduit dans les étangs du Nord-Ouest et hiverne le long des deux côtes. Se nourrit occas. de mollusques, insectes et crustacés.

Le malard est un saisonnier commun partout en Am. du N. Cette esp. comporte de nombreuses variétés domestiques.

Les sarcelles volent rapidement et voyagent souvent en grandes troupes. La sarcelle à ailes vertes préfère l'eau douce en été comme en hiver. Les sarcelles cannelle et à ailes bleues fréquentent les baies abritées en hiver.

Canard malard
Anas platyrhynchos

femelles

Sarcelle à ailes vertes
Anas crecca

mâle

mâle

40 cm, 90 cm (e)

26 cm, 60 cm (e)

Garrot commun
Bucephala clangula
32 cm, 77 cm (e)

femelle

Morillon à
tête rouge
*Aythya
americana*
36 cm, 93 cm (e)

mâle

mâle

Morillon à dos blanc
Aythya valisineria

femelles

38 cm, 95 cm (e)

mâle

CANARDS PLONGEURS. Se nourrissent en plongeant sous l'eau. Ceux qui vivent sur les étangs se nourissent princ. de vallisnérie, potamots et autres plantes aquatiques. Ils mangent aussi plus de mollusques, crustacés et insectes que les canards de surface. Contrairement à ceux-ci, les canards plongeurs courent sur la surface avant de s'envoler. Le morillon à collier, le petit garrot et le petit morillon vivent en eaux douces. Les autres sont marins.

Le morillon à tête rouge se reproduit à partir du centre et de l'ouest des É.U. vers le nord au Canada. Les femelles pondent de 10 à 15 oeufs ; pondent parfois dans le nid des autres canards. Tête arrondie.

Le garrot commun niche dans les arbres près de l'eau. Plus carnivore qu'herbivore. Émigre en petites bandes volant haut.

Le morillon à dos blanc migre en formation en V, comme les oies. Niche au Canada. Tête aplatie.

CANARD ROUX. Appartient à un groupe distinct, plus apparenté aux canards masqués tropicaux. Fréquente les étangs et mange princ. des plantes en plongeant. Peut aussi nager sous la surface.

BEC-SCIE. Ont un bec « denté » dont ils se servent pour attraper et retenir les poissons, leur principale nourriture. Des trois esp. d'Am. du N., le grand bec-scie préfère les eaux douces.

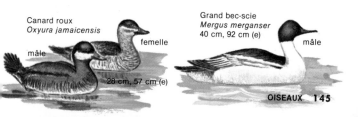

Canard roux
Oxyura jamaicensis

mâle

femelle

28 cm, 57 cm (e)

Grand bec-scie
Mergus merganser
40 cm, 92 cm (e)

mâle

RÂLE ÉLÉGANT. Oiseau timide des marais vivant du Midwest au golfe du Mexique vers l'Est. Sur de courts vols, laisse pendre ses pattes ; lors de longs vols, elles sont repliées sous son corps. Cinq autres esp. de râles vivent dans les marais d'Am. du N. Tous sont difficiles à observer.

Râle élégant
Rallus elegans
35 cm, 60 cm (e)

Gallinule
commune
*Gallinula
chloropus*

GALLINULE COMMUNE. Oiseau des marais ressemblant au râle, mais au bec court. Se reproduit du golfe du Mexique jusqu'au centre et à l'est de l'Am. du N. La gallinule pourprée vit au s.-e. des É.-U. sur les lacs étendus et les marais côtiers.

26 cm, 53 cm (e)

FOULQUE. Oiseau ressemblant au canard. Vit dans les baies, lacs et étangs partout au centre de l'Am. du N. Nage bien et plonge pour se protéger. Mange diverses plantes et petits animaux. Bec blanc caractéristique.

Foulque d'Amérique
Fulica americana
30 cm, 63 cm (e)

OISEAUX AQUATIQUES

GRAND HÉRON. D'une fam. d'échassiers à pattes longues et au bec pointu leur servant à se nourrir d'animaux aquatiques. Notez sa grande taille, son coloris et ses marques. Les hérons fréquentent les lacs, étangs et marécages, se nourrissant princ. de poissons et de grenouilles. On en trouve 13 esp. en Am. du N.

GRANDE AIGRETTE. Se reproduit de la Californie au Tennessee vers le Sud, errant jusqu'au Canada en été. Notez son bec jaune, ses pattes et ses pieds noirs. L'aigrette-neigeuse, plus petite (50 cm), a le bec et les pattes noires et les pieds jaunes. Le héron garde-boeufs, encore plus petit (43 cm), préfère les pâturages aux terres humides.

HÉRON VERT. Commun dans l'est des É.-U., le sud du Qué., et sur la côte ouest. Notez ses pattes orange et les couleurs contrastantes de son corps. Tous les hérons foncés, sauf le héron vert et les deux esp. ci-dessous, préfèrent les lagunes d'eau salée et les terrains plats boueux.

BIHOREAU À COURONNE NOIRE ET Bihoreau violacé. Se nourrissent d'insectes aquatiques, de poissons et de batraciens. Dorment le jour.

BUTOR D'AMÉRIQUE. Vit du nord au centre du Canada, se fige quand il se sent en danger. Les jeunes bihoreaux lui ressemblent. Le petit butor est le plus petit membre de la famille du héron.

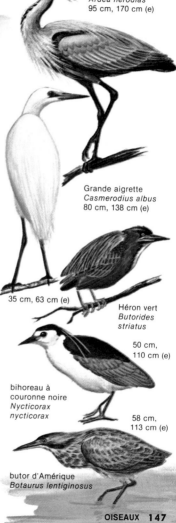

Grand héron
Ardea herodias
95 cm, 170 cm (e)

Grande aigrette
Casmerodius albus
80 cm, 138 cm (e)

35 cm, 63 cm (e)

Héron vert
Butorides striatus

50 cm,
110 cm (e)

bihoreau à couronne noire
Nycticorax nycticorax

58 cm,
113 cm (e)

butor d'Amérique
Botaurus lentiginosus

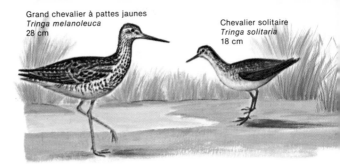

Grand chevalier à pattes jaunes
Tringa melanoleuca
28 cm

Chevalier solitaire
Tringa solitaria
18 cm

BÉCASSEAUX. Comprend près de 40 esp. nord-amér. vivant surtout sur les rivages des océans, mais un certain nombre d'esp. vit le long des lacs, étangs et rivières. Tous ont un bec effilé et un plumage tacheté.

Les chevaliers à pattes jaunes (2 esp., de la toundra vers le Sud) ont les pattes jaune clair. Le chevalier solitaire, aussi très répandu, a le croupion foncé et les plumes caudales rayées. La maubèche branle-queue, plus méridionale, branle constamment la queue. La bécassine des marais et la bécasse sont des oiseaux des tourbières, marécages et rives.

GOÉLAND À BEC CERCLÉ, la mouette de Franklin et plusieurs autres esp. de goélands se nourrissent et nichent dans les étangs et lacs de l'intérieur. Peuvent hiverner le long des côtes. Le plumage des goélands et mouettes varie selon la saison et l'âge de l'oiseau. Se nourrissent de poissons et d'insectes ou sont charognards.

ANHINGA D'AMÉRIQUE. Vit au sud-est des É.U. On le voit communément perché sur les grosses branches, ses ailes déployées pour les faire sécher. Nage souvent en n'émergeant que sa tête et son mince cou serpentin. Harponne les poissons avec son long bec pointu.

Goéland à bec cerclé
larus delawarensis
40 cm, 123 cm (e)

Anhinga d'Amérique
Anhinga anhinga
70 cm, 118 cm (e)

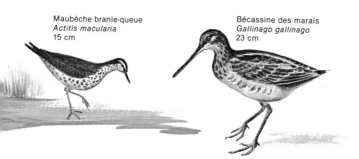

Maubèche branle-queue
Actitis macularia
15 cm

Bécassine des marais
Gallinago gallinago
23 cm

HUARD À COLLIER. Hiverne en eau salée sur les 2 côtes d'Am. du N. et sur les Grands-Lacs. Passe l'été dans les eaux intérieures et les marais, de l'Arctique vers le Sud, jusqu'au centre de l'Am. du N. Se nourrit princ. de poissons. Son chant est sonore et singulier. Des 3 esp., seul le huard à gorge rousse peut être visible. Les huards sont de bons nageurs et plongent profondément.

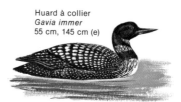

Huard à collier
Gavia immer
55 cm, 145 cm (e)

GRÈBE À BEC BIGARRÉ. A les pieds lobés et les pattes à l'arrière du corps pour faciliter la nage. Plonge rapidement ; mange de petits animaux aquatiques. Se reproduit au nord des É.U. et au Canada, hiverne au sud des É.U. Cinq autres esp. vivent le long des lacs et étangs.

Grèbe à bec bigarré
Podilymbus podiceps
23 cm

PÉLICAN BLANC D'AMÉRIQUE. Vit sur les étangs et lacs de l'ouest des É.U. Sa princ. nourriture est le poisson. Niche hab. en colonies, bâtissant son nid sur le sol. Le pélican brun est marin.

Pélican blanc d'Amérique
Pelecanus erythrorhynchos
125 cm, 275 cm (e)

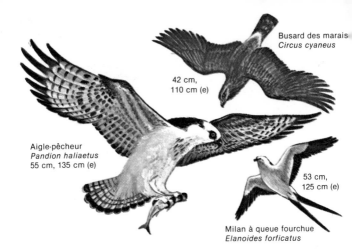

Busard des marais
Circus cyaneus

42 cm,
110 cm (e)

Aigle-pêcheur
Pandion haliaetus
55 cm, 135 cm (e)

53 cm,
125 cm (e)

Milan à queue fourchue
Elanoides forficatus

FAUCONS et leurs semblables. Bec crochu et fortes serres. L'aigle-pêcheur, répandu en Am. du N., a des ailes au coude visible quand il vole. Plonge pour pêcher. Le busard des marais, à ailes étroites, chasse et niche dans les marais dégagés. Le milan à queue fourchue est commun des marais du Sud des É.U. L'aigle à tête blanche, emblème national des É.U., est rare et local en Am. du N., près des rivages ; se nourrit surtout de poissons. La buse à queue courte vit aussi dans les terres humides du Sud des É.U.

MARTIN-PÊCHEUR D'AMÉRIQUE. Grosse tête et gros bec ; cri de crécelle. Vole sur place au-dessus de l'eau et y plonge pour attraper les poissons. Très répandu.

PLUVIER KILDIR. Très répandu en Am. du N. Vit dans les champs, et pâturages et on le voit souvent le long des rives des lacs et étangs.

30 cm

Martin-pêcheur
d'Amérique
Ceryle alcyon

Pluvier kildir
*Charadrius
vociferus*
20 cm

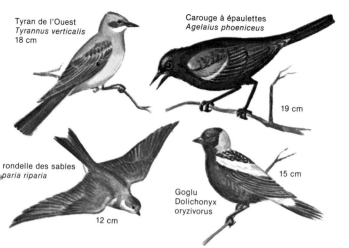

Tyran de l'Ouest
Tyrannus verticalis
18 cm

Carouge à épaulettes
Agelaius phoeniceus

19 cm

rondelle des sables
paria riparia

12 cm

Goglu
Dolichonyx oryzivorus

15 cm

PASSEREAUX. Le plus important groupe, comprenant 27 esp. d'oiseaux chanteurs en Am. du N. Plusieurs esp. vont s'abreuver aux étangs, lacs et rivières. Les insectivores chassent dans les terres humides. Certaines fauvettes nichent dans les saulaies.

Les carouges et les mainates nichent dans les quenouilles et les joncs. Les hirondelles rasent les étangs à la recherche d'insectes. Les tyrans et moucherolles s'élancent à la poursuite d'insectes. Les troglodytes, les mésanges et beaucoup d'autres esp. sont communes le long des étangs.

Troglodyte
des marais
Cistothorus palustris

13 cm

Pinson des marais
Melospiza georgiana

10 cm

Fauvette jaune
Dendroica petechia
10 cm

Mésange
huppée
d'Amérique
Parus bicolor
14 cm

MAMMIFÈRES. Animaux à poils qui allaitent leurs petits. Certains se nourrissent de plantes poussant dans l'eau ou le long des rivages. D'autres sont carnivores, se nourrissant de poissons, grenouilles et autres animaux. Les mammifères vivant le long des étangs, lacs et rivières, ou dans les terres humides varient en taille, de la minuscule musaraigne à l'orignal, plus gros que le chevreuil. Pour une étude plus approfondie, référez à notre volume *Mammifères sauvages du Canada,* de F.H. Wooding.

Raton laveur
Procyon lotor

RATON LAVEUR. Masque noir caractéristique et queue cerclée de noir ; vit dans tout le centre de l'Am. du N. Actif la nuit, fréquentant les rives des étangs et lacs pour se nourrir de grenouilles, écrevisses et autres petits animaux. Peut atteindre 85 cm.

LOUTRE DE RIVIÈRE. Bonne nageuse ; se fait souvent des glissoires sur la boue des rives, pour jouer ou entrer rapidement dans l'eau. Commune en Am. du N., elle est devenue rare en certains endroits. Env. 90 cm.

VISON. Gros membre de la famille de la belette. Se nourrit d'écrevisses, poissons, petits oiseaux et de quelques autres animaux qu'il peut capturer. Voyage et chasse seul. Excellent nageur, le vison nage souvent sous la glace pour se nourrir. Vit dans les endroits humides d'Am. du N. Env. 50 cm.

Loutre de rivière
Lutra canadensis

Vison
Mustela vison

Rat musqué
Ondatra zibethicus

Nutria
Myocastor coypus

RAT-MUSQUÉ. Vit dans les lacs, cours d'eau et marécages presque partout, en Am. du N. Bon nageur, il se nourrit de plantes aquatiques. Se creuse un terrier sur les rives ou se construit une hutte avec des tiges de plantes au-dessus de l'eau. Atteint env. 60 cm, et 1,4 kg. On le trappe pour sa fourrure.

CASTOR. Le mammifère aquatique le mieux connu. Se nourrit d'écorce et de brindilles de peupliers, bouleaux et saules. Emmagasine sa nourriture d'hiver dans des étangs créés par ses barrages. Atteint 90 cm à 1,20 m, et 16 kg. Vivait autrefois dans presque toute l'Am. du N.

NUTRIA Rongeur originaire d'Am. du Sud, échappé de captivité. On le trouve dans les marais du sud-est des É.U. ; et en colonies dispersées dans le Midwest et l'Ouest des É.U. jusque dans le Sud du Canada. Se nourrit de végétation dans ou près de l'eau et est devenu nuisible en certains endroits. Env. 60 cm.

LAPIN DES MARÉCAGES. Vit du Texas à l'Illinois, vers l'Est. Sur la côte sud-ouest, il est remplacé par le lapin des marais.Tous 2 vivent dans les bois et les terres herbeuses, près des étangs et marécages. Se nourrissent de plantes, d'écorce et de feuilles. Mesurent entre 30 et 38 cm. Leur fourrure est foncée et leur queue grisâtre.

Lapin des marais
Sylvilagus palustris

Castor
Castor canadensis

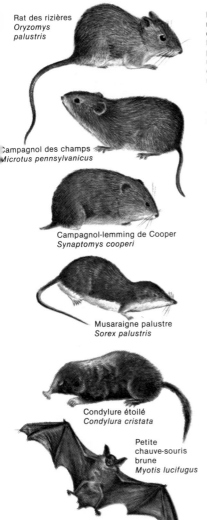

Rat des rizières
Oryzomys palustris

Campagnol des champs
Microtus pennsylvanicus

Campagnol-lemming de Cooper
Synaptomys cooperi

Musaraigne palustre
Sorex palustris

Condylure étoilé
Condylura cristata

Petite chauve-souris brune
Myotis lucifugus

RAT DES RIZIÈRES. Excellent nageur, il vit dans les prairies humides de la vallée du Mississipi vers l'Est jusqu'à New York. Se nourrit princ. de plantes vertes. Se bâtit un nid de tiges de plantes dans une souche ou un trou creusé au-dessus du niveau de l'eau. 22 à 28 cm.

CAMPAGNOL DES CHAMPS (mulot). Commun dans les régions froides de l'Am. du N., préférant les prairies humides. Se nourrit de graines et de plantes tendres. Env. 12 cm.

CAMPAGNOL-LEMMING DE COOPER. Vit dans les prairies humides, marécages et tourbières, du centre et de l'est de l'Am. du N., sauf dans le sud. Env. 10 cm.

MUSARAIGNE PALUSTRE. Excellente nageuse. Se nourrit de petits animaux aquatiques. Nocturne, elle a des yeux et des oreilles minuscules, comme les autres musaraignes. Vit au Canada et au nord des É.U., vers le sud, dans les montagnes. Entre 8 et 10 cm.

CONDYLURE ÉTOILÉ. Vit dans les prairies humides et marécages de l'est de l'Am. du N. Mange des insectes et des vers ; voyage sur des sentiers de surface et dans des galeries souterraines. Env. 12 cm.

PETITE CHAUVE-SOURIS BRUNE. Une des quelque 15 esp. Communes en Am. du N. Sort au crépuscule et chasse les insectes au-dessus de l'eau et le long des rivages. En hiver, hiberne ou émigre dans le Sud. Env. 8 cm.

INDEX

Beaucoup de plantes et d'animaux n'ont pas de nom vernaculaire. Ils figurent dans cet index avec leur nom scientifique (genre). Pour les autres, nous nous sommes servis du nom vernaculaire ou du groupe. Les illustrations sont aussi accompagnées du nom scientifique.

Acariens, 85, 113
Achigan, 19, 125
  à grande bouche, 19, 125
  à petite bouche, 125
Acineta, 76
Acorus roseau, 56
Aeolosoma, 82
Agmenellum, 33
Aigle à tête blanche, 150
Aigle-pêcheur, 150
Aigrette, grande, 147
  neigeuse, 147
Algues, 31-37
  vertes, 31, 34, 35
Alisma commun, 51
Alligator américain, 156
Alternanthère, 62
Amie, 128
Amoeba, 74, 76
Amphipodes, 86, 91
Anabaena, 32
Anacystis, 32
Anax, 94, 98
Andromède glauque, 72, 73
Anguille, 126
Anhinga, 148
Animaux, 74-154
  à pattes articulées, 85-113
Ankistrodesmus, 35
Annélides, 75, 82
Anodonte, 117
Anophèle de la malaria, 109
Anostracés, 86, 88, 89
Aracées, 56
Araignées, 85, 113
Arbres, 68-71
  toujours verts, 71
Arbustes, 72, 73
Arcella, 74
Argulus, 90
Artemia, 88

Arthropodes, 75, 85-113
Asellus, 91
Asplanchna, 80
Asterionella, 37
Asticot à queue de rat, 112
Aulne rouge, 70
  rugueux

Bactéries, 38
Barbotte, 127
  brune, 127
  des rapides, 127
  jaune, 127
  noire, 127
Barbue de rivière, 127
Batraciens, 120, 129-135
Bécasseaux, 148
Bécasse d'Amérique, 148
Bécassine, 148
  de Wilson, 148
Bec-scie, 145
Berle douce, 67
Bernache du Canada, 143
Bétulacées, 70
Bident de Beck, 63, 67
Bigorneaux, 115
  en pointe, 115
Bihoreau à couronne
  noire, 147
  violacé, 147
Bioxyde de carbone, 12, 13
Blasturus, 97
Bosmina, 89
Botryche de Virginie, 44
Bouleau(x), 70
  fontinal, 70
  noir, 70
Brachionus, 80
Brasénie de Schreber, 60, 61
Brochet(s), 18, 126
  européen, 126
  grand, 126

Bryophytes, 30, 39
Bryozaires, 75, 81
Buffalo, 122
  à grande bouche, 122
Busard des marais, 150
Butor, 147

Cabomba de Caroline, 60, 61
Calamagrostis, 53
Callitriche hétérophylle, 67
Campagnol des champs, 154
  lemming de Cooper, 154
Campanule, 66
Canard(s), 144-145
  chipeau, 144
  huppé, 144
  malard, 144
  noir, 144
  pilet, 144
  plongeur, 145
  roux, 145
  siffleur, 144
  souchet, 144
Carex, 21, 54, 55
Carouge à épaulettes, 151
Carpes, 122, 123
Cassandre caliculé, 72
Castor, 153
Catostome, 122
Catunelas, 84
Cécidomyies, 111
Cèdres, 71
Céphalante occidental, 72, 73
Ceratium, 31, 36
Chaetogaster, 82
Chaînes alimentaires, 22, 23
Chaoborus, 108, 109
Chara, 31, 36
Charophycées, 31, 36
Chat-fou brun, 127

Chatte de l'Est, 123
Chauliodes, 100, 101

Chauve-souris, 154
petite-brune, 154
Chêne(s), 69
à feuilles lyrées, 69
bicolore, 69
d'eau, 69
des marécages, 69
saule, 69
Chevalier à pattes
jaunes, 148
solitaire, 148
Chèvrefeuille(s), 73
dioïque, 73
Chlorella, 34
Chou palmiste, 71
Chrysomèles, 106
Chydorus, 88, 89
Cicutaire maculée, 64
Ciliophore, 74, 76
Cincidèle commune, 106
Cladium, 55
Cladocères, 86, 88, 89
Cladophora, 34
Cloéon, 97
Closterium, 35
Cœlentérés, 75, 78, 79
Coléoptères, 95, 105-106
Collemboles, 95, 100,
101
Conchostracés, 86, 88,
89
Condylure étoilé, 154
Copépodes, 86, 90
Corise, 103
Cornifle nageante, 63
Cornouiller, 72
Corydale, 100, 101
Corydalus, 94
Couleuvre(s) arc-en-ciel,
141
d'eau, 140
d'eau diamantine, 140
d'eau du Nord, 140
d'eau verte, 140
mince, 142
mosaïque, 141
noire des marais, 141
rayée des marais, 141
rayées, 142
royale, 140
verte douce, 142
verte rugueuse, 142

Crapaud(s), 129, 132
d'Amérique, 132
de Fowler, 132
pieds-en-bêche, 132
Crapet(s), 121, 124, 125
à oreilles bleues, 124
à taches orange, 124
bouche-en-guerre, 124
harlequin, 124
soleil, 124
vert, 124
cresson officinal, 62
Crevettes, 85, 86, 92, 93
Crocodiliens, 136
Crotales, 140, 142
Crustacés, 85, 86, 93
Cygnes, 143
siffleur, 143
trompette, 143
Cyclops, 90
Cymbella, 37
Cyprès, 69
faux-thuya, 71
Cypridopsis, 87
Cyprinodons, 126
Cyprinotus, 87

Daphnia, 89
Dard noir, 125
Décapodes, 86, 92
Décodon verticillé, 67
Demoiselles, 94, 98, 99
Densité de l'eau, 10
Dero, 82
Desmidiées, 35
Diaptomus, 90
Diatomées, 31, 37
Dichelyma, 41
Difflugia, 76
Dinoflagellés, 31, 37
Diptères, 95, 108-112
Dixa, 111
Dólomèdes triton, 113
Donacie des nénuphars,
106
Douves, 84
Draparnaldia, 34
Dyopides, 106
Dryoptéride
intermédiaire, 44
spinuleuse, 44
théluptéride, 44
Dugesias, 84
Dulichium, 54
Dytique, 95, 105

Eau, 6, 7, 10, 11, 14, 15,
16 17
Écrevisses, 75, 85, 86
à cheminée, 93
d'étang, 92
de l'Est, 93
de l'Ouest, 92
des marais, 92
Éleocharide, 55
Élodée du Canada, 50, 59
Enallagma, 99
Ephemera, 96
Ephemerella, 93, 97
Éphémères, 85, 94, 96, 97
Éphéméroptères, 94,96
Équipement pour la
récolte, 27, 28, 29
Érable, 70
rouge, 70
Éristale, 112
Erpobdella, 83
Éryngion, 64
Érythemis, 98
Escargot(s), 75, 114, 115
d'étang, petit, 115
de rivière, 115
globulaire, 115
pulmonés, 114-115
Esturgeon de lac, 128
Étang, 4-29
de ferme, 9
Eubranchipus, 89
Eucypris, 87
Euglena, 31, 36, 74
Eugléniens, 31, 36
Eupères, 117

Farancia, 141
Faucons, 150
Fauvette jaune, 151
Flagellés, 76
Floscularia, 80
Fondule barré, 126
Fongus, 38
Fontinalis, 41
Fougère(s), 42-45
Fougère d'eau, 43
Foulque, 146
Fragilaria, 37
Fredericella, 81
Frêne(s), 70
noir, 70
rouge, 70

Gaillet trifide, 66

Gallinule pourprée, 146
Gambusie, 126
Gammarus, 91
Garrot commun, 145
Gastéropodes
  prosobranches, 114,
  115
Gastrotriches, 119
Gelastrocoris, 104
Gemmules, 77
Glochidium, 116
Glycérie, 52
Goéland(s), 148
  à bec cerclé, 148
Goglu, 151
Gommier noir, 69
Gomphosphaeria, 33
Graminées, 52, 53
Grande alose à gésier,
  128
Grand chevalier à pattes
  jaunes, 148
Grand héron bleu, 147
Graptémyde
  pseudogéographique,
  139
Gratiole, 67
Grèbe à bec bigarré, 149
Grenouille(s), 75, 129,
  132-135
  à pattes rouges, 133
  des marais, 133
  léopard, 129, 133
  verte, 133
Gyraule hirsute, 115
Gyrin tourniquet, 17, 105

Habitats, 17-21
Haemopsis, 83
Helius, 110
Helmidés, 106
Helobdella, 83
Hémiptères, 95, 102, 104
Hépatiques, 39
Héron(s), 147
  garde-boeufs, 147
  vert, 147
Hétéranthrère litigieuse,
  58
Hexagenias, 93, 96
Hippuride vulgaire, 65
Hirondelle des sables,
  151
Hirudinées, 83
Houx verticillé, 72, 73

Huart à gorge rousse,
  149
Hyalella, 91
Hydracariens, 113
Hydrachna, 113
Hydre(s), 75, 78, 79
  brune, 78
  verte, 79
Hydrocotyle d'Amérique,
  66
Hydrodictyon, 35
Hydrogène, 10
Hydromètres, 102
Hydrophile géant, 17,
  106
Hygrohypne, 41
Hygrohypnum, 41

Insectes, 75, 85, 94-112
Iris versicolore, 64
Ischnura, 99
Isoète d'Engelmann, 42
Isonychia, 97
Isopodes, 86, 91

Jacinthe d'eau, 58
Jonc(s), 55
  acuminé, 55
  marginé, 55
Jungermanniales, 39
Jussiées, 66
Keratella, 80

Lac, 4-29
Laitue d'eau, 56
Lamproie(s), 120
  d'Amérique, 120
  marine, 120
Lampsie(s), 117
  ovale, 117
Lapin(s), 153
  des marais, 153
  des marécages, 153
Léersie faux-riz, 52
Lemnacées, 57
Lenticule mineure, 57
  trisulquée, 57
Lépidoptères, 95, 112
Lépisostée(s), 128
  alligator, 128
  à museau court, 128
  de Floride, 128
  osseux, 128
  tacheté, 128
Leptocella, 107

Leptodora, 89
Leptothrix, 38
Léthocère d'Amérique,
  103
Libellules, 94, 98, 99
Limace, 75
Limnée auriculaire, 115
  géante, 115
Limnephilus, 107
Limnobium spongia, 59
Limnochares, 113
Limnologie, 5
Liodytes, 141
Lobélie de Dortmann, 65
Lotus, 60, 61
Loutre de rivière, 152
Ludwigie palustre, 67
Lyngbya, 33
Lysimaque terrestre, 67
Macrobdella, 83
Macromia, 98
Malard, 144
Mammifères, 120, 152-
  154
Marchantiales, 39
Marigane blanche, 125
  noire, 125
Maringouins, 109
Martin-pêcheur
  d'Amérique, 150
Maskinongé, 126
Massasauga, 142
Matteuccie fougère-à-
  l'autruche, 45
Maubèche branle-queue,
  148
Méduses, 78, 79
Mégaloptères, 94, 100
Mélèzes laricin, 71
Méné à nageoires
  rouges, 123
Meridion, 37
Merisier rouge, 70
Mésange huppée, 151
Mésovélie, 103
Meyenia, 74, 77
Micrasterias, 35
Milan à queue fourchue,
  150
Millepertuis de Virginie,
  66
Minéraux, 14
Mitrula, 38
Mocassin d'eau, 140,
  141, 142

Moisissures aquatiques, 38
Molanna, 107
Mollusques, 75, 114-117
Monostyla, 80
Moravia, 90
Morillon à collier, 145
  à dos blanc, 145
  à tête rouge, 145
Mouche(s), 95, 108-112
  des aulnes, 94, 100, 101
  noire, 111
Mouettes de Franklin, 148
mougeotia, 34
Moule à perles, 117
Moustique de la fièvre jaune, 109
  des marais salants, 109
  des tourbières, 109
  domestique, 109
Moxostome, 122
Mulet à cornes, 123
Musaraigne palustre, 154
Myriophylle, 20, 63, 65
Myrique baumier, 72

Naïas, 19, 50
  de la Guadeloupe, 50
  épineuse, 50
  souple, 50
Nauplius, 87
Navicula, 31, 37
Necture tacheté, 130
Nématocystes, 78, 79
Nématoles, 118
Némertiens, 118
Nématomorphes, 119
Nemoura venosa, 101
Nénuphar(s), 20, 60, 61
  à fleurs panachées, 60, 61
  à petites feuilles, 60, 61
  polysépale, 60, 61
Neureclipsis, 107
Névroptères, 94, 100
Nitella, 31, 36
Nostoc, 32
Notonecte, 104
Notostracés, 86, 88, 89
Nutria, 153

Nymphéa odorant, 60, 61
  tubéreux, 60, 61
Nymphula, 112

Ochterus, 104
Odonates, 94, 98, 99
Oecetis, 107
Oie(s) à front blanc, 143
  blanche, 143
Oiseaux aquatiques, 146-151
Oligochètes, 82
Omble de fontaine, 121
Ophioglosse, 44
Oscillatoria, 31, 33
Osmonde cannelle, 45
  royale, 45
Ostracodes, 86, 87
Ouaouaron, 133
Oxygène, 10, 12, 13

Palourde(s), 75, 116, 117
  d'eau douce, 116
  sphérique, 117
Papillons, 95, 112
Paramecium, 74, 76
Passereaux, 151
Patelle, 115
Patineurs, 102
  à larges épaules, 102
Pectinella, 81
Pediastrum, 35
Pélican blanc d'Amérique, 149
Pelocores, 104
Peltandre de Virginie, 51
Peltodytes, 105
Perchaude, 125
Peridinium, 36, 76
Petit garrot, 145
Peuplier, 68
  à feuilles deltoïdes, 68
  baumier, 68
  de Virginie, 68
pH, 13
Phacus, 36
Phalaris roseau, 53
Philodina, 80
Philonotis, 41
Phlébotomes, 111
Photosynthèse, 12, 22, 30
Phryganes, 95, 107
Phytoplancton, 18, 22
Pin rigide, 71
  tardif, 71

Pinson des marais, 151
Pisidies, 117
Plancton, 18, 19, 22
Plantes, 30, 73
  vasculaires, 30, 42
Platanes, 69
Plathelminthes, 75, 84
Pléa rayée, 104
Plécoptères, 94, 100, 1C
Plumatella, 81
Pluvier kildir, 150
Podophrya, 76
Podura, 100
Poisson(s) 75, 121-128
  chat, 127
  osseux, 121-128
  rouge, 123

Polyarthra, 80
Pomme des marais, 11?
Pontédérie cordée, 2 58
Potamot, 20, 48, 49
  crispé, 48, 49
  de Berchtold, 48, 49
  feuillé, 48, 49
  flottant, 48, 49
  graminoïde, 48, 49
  pectiné, 48, 49
Potentille palustre, 66
Poteriodendron, 76
Prêle, 42
Procotyla, 84
Proptère ailée, 117
Proserpinie des mara?
  64
Prosobranches, 115
Protozoaires 74, 76
Pseudémydes, 138
  à ventre rouge, 138
  de Floride, 138
Ptychoptères, 110
  pulmonés, 114
Punaises, 95, 102-104
  d'eau rampante, 104

Quenouilles, 46
Rainette(s), 134
  crucifère, 134
  criquet, 135
  du Pacifique, 134
  faux-criquet de Strecker, 135
  faux-criquet du Su
  135

158

faux-criquet ornée, 135
versicolore, 134
verte, 134
Râle élégant, 146
Ranâtre brune, 17, 103
Rat des rizières, 154
musqué, 153
Raton laveur, 152
Renoncule à long bec, 63
de Gmelin, 63
Renouée amphibie, 59
ponctuée, 59
Reptiles, 120, 136-142
Respiration, 12
Rhyacophila, 107
Rhynchospore blanc, 54
Riccia, 39
Ricciocarpus, 39
Rivularia, 33
Roseau commun, 53
Rosier palustre, 72, 73
Rossolis à feuilles
rondes, 65
Rotifères, 75, 80
Rubanier à gros fruits, 47
multipédonculé, 47

Sabal palmetto, 71
Sagittaire graminoïde, 51
latifoliée, 51
Salamandre(s), 129, 130-131
à deux lignes, 131
alligator, 130
bistrée, 131
cendrée, 131
des vasières, 131
maculée, 131
tigre, 129
Salduda, 104
Salicorne, 62
Salvinia, 43
Sangsues, 75, 82, 83
Saprolegnia, 38
Sarracénie pourpre, 65
Sarcelle à ailes bleues, 144
à ailes vertes, 144
cannelle, 144
Sarcodina, 74, 76

Saule noir, 68
Scapholeberis, 89
Scenedesmus, 35
Scirpe d'Amérique, 54
Scutellaire latériflore, 66
Serpent(s), 136, 140-142
à sonnette nain, 142
Sialis, 101
Simulium, 111
Sirène lacertine, 130
Sisyra, 94
Smilax hispide, 73
Sminthurides, 101
Spartine pectinée, 52
Sphaerotilus, 38
Sphaigne capillaire, 40
palustre, 40
Spicules, 77
Spirodèle polyrhize, 57
Spirogyra, 31, 34
Spongiaires, 77
Spongilla, 77
Statoblaste, 81
Stentor, 76
Stratiomys, 112
Sucet de lac, 122
Suctorien, 76
Sumac à vernis, 72, 73
grimpant, 72
Surface, 17

Tabellaria, 37
Tamaracs, 71
Taon du cheval, 112
du chevreuil, 112
Tardigrade, 119
Taxodies, 69
chauve, 69
Tendipes, 111
Tenias, 84
Têtards, 133
Tétragnatha, 113
Thallophytes, 30
Thiothrix, 38
Tipula, 110
Tipule, 110
Tortue(s), 75, 136, 137-139
alligator, 137
à oreilles rouges, 136, 138
boueuse, 137

de l'Ouest, 139
géographique, 139
hargneuse, 137
molle à épines, 139
musquée, 137
peinte, 138
ponctuée, 139
Touladi, 120
Toupélo aquatique, 69
sylvestre, 69

Trèfle d'eau, 43
Trembles, 68
Triaenodes, 106
Trichoptères, 95, 107
Triton(s), 129, 131
vert, 131
Troglodyte des marais, 151
Truite arc-en-ciel, 121
Tubifex, 19, 75, 82
Turbellariés, 84
Typha(s), 21, 46
à feuilles étroites, 46
à feuilles larges, 46
Tyran de l'Ouest, 151

Utriculaires, 64

Vairon à ventre rouge, 123
Vallisnérie, 20
américaine, 59
Vers, 75, 82, 83, 84, 118, 119
de terre, 75, 82
Vertébrés, 75, 120-154
Vigne cotonneuse, 73
Vipère cuivrée, 140
Vison, 152
Volvox, 35
Vulpin à courtes arêtes, 52

Wolffia, 57
Woodwardie de Virginie, 45

Zannichellie palustre, 48, 49
Zizanie aquatique, 53